論語 君は どう生きるか？

だから私はこう生きる！

著者：樫野紀元

三和書籍

だから私はこう生きる！

わかっているようでわかっていない、本当に大切なこと！
私たちはこうつくられている。この世はこうつくられている。
今、皆さんに必要なのは、それがわかる「論語」です。
令和の新時代、「だから私はこう生きる！」

は　じ　め　に

　皆さんは、こんなことを思ったことがあるはずです。"自分はどんな存在なのだろう？　どう生きたらよいか？"　こうした問いかけに、しっかり答えてくれるのが「論語」です。

　「論語」は、今から約2,500年前に活躍した中国の思想家孔子（紀元前551〜前479年）とその弟子が語った言葉の中から、孫弟子らが、後の人たちに伝えたい言葉（語）を論議して選んで記録したものです。論議して語を選んだ、だから「論語」というのですね。

　そこに書かれている言葉は、私たちが日ごろ気がつかない、心の奥底にある大事なものを呼び起こしてくれます。何より、心が爽やかになって元気が出る魔法の言葉がたくさん入っています。そして、どう生きたらよいか、しっかり教えてくれます。かつては、日本人のほとんどが「論語」を学んでいました。

　不思議なことに、「論語」の言葉が意味するものは、今日の天文学や宇宙物理学で言っていることと同じなのです。孔子は、夜空に輝く調和を保って整然と運行する星と、人や世のあるべき姿とを重ね合わせて観ていたのかもしれません。

　私たちは地球という惑星に住む宇宙人です。孔子の言葉そのものが、宇宙のお話とかかわりがあるからでしょう、「論語」を読むと、頭がすっきりして学習能力がとても高まります。それに自分の立ち位置や生き方がよくわかります。行き詰まったときや落ち込んだ時「論語」を読むと、必ず求めている言葉が見つかって、心が安らぎ、元気がわいてきます。きっと、今かかえている迷いや悩みが消え去って、自信がわいてくることでしょう。

まさに時空を越えた孔子の簡潔な言葉に、大きなパワーが秘められているから、ざっと2,500年もの長い間、「論語」が人生のガイドとして読み継がれてきたのです。

　本書では、その「論語」から、私たちはどんな存在か、どう生きたらよいか、その答えになる短くて覚えやすい、また実践しやすい言葉を抜き出し、宇宙のお話を入れて解説させていただきます。

☆

　ところで、2,500年余の間には「論語」にかかわる大きな出来事がいくつかありました。その例を二つお話しします。

　一つは、秦の時代（紀元前221〜前206年）でのことです。「論語」は、秦の始皇帝によって禁書とされ（紀元前213年）、国中の「論語」が集められ、燃やされたのです（焚書坑儒といいます）。この時、孔子が亡くなってから約270年経っていました。禁書にされたことに反対した人たちは、こっそり、自分の家の土壁に木簡（細く切った木の札）に書かれた「論語」を塗り込んで隠しました。始皇帝の世が終わって、もう大丈夫、と土壁に塗り込めていた「論語」を取り出したところ、長い間土壁の中にあったためでしょうか、木簡を綴じた紐が腐っていて、ばらばらになってしまいました（viページのコラム参照）。おまけに、書いてある字が読めなくなったものもたくさんありました。

　二つ目は、漢の時代（紀元前202年以降）のことです。「論語」は国の教えの基本とされました（紀元前136年）。しかし、「論語」の中身は、時の権力者の都合がよいように、一部が改ざんされました。こともあろうに、孔子の血を引く者が改ざんしたと言います。

　そして今日、中国では「論語」は共産党政権により、1966年から始まった文化大革命がもとで教えることが禁じられています。

孔子の名を付した孔子学院は中国政府の教育および宣伝機関で、「論語」とは関係ありません。

このように、いろいろなことがありましたが、どんなに時代の波に洗われようと「論語」には、悩みを吹き飛ばし、希望を持てるようになる言葉が残されています。「論語」を読めば、自分が必要とする言葉が必ずみつかるのです。世の中がどのように移り変わっても、「論語」は人々の心の支えであり続けることでしょう。

☆

さて、孔子が亡くなってから何百年も経って、学而遍（がくじへん）、為政遍（いせいへん）など、「論語」は、いくつかの言葉をまとめて新たに編集がなされました。今日、このときの編集によるものが伝わっています。しかし、それぞれの遍に入っている言葉は、必ずしも、その遍の名前に合っているとは言えません。例えば、為政遍に政治にかかわる言葉がたくさん入っているか、と思うと、全然そうではないのです。

日本には、「論語」は、5世紀の初頭、実用的な教えとして、易（えき）、暦（れき）、医、天文学などとともに大陸から伝来（でんらい）しました。そして、日本人が読みやすいようにした"読み下し文"がつくられました。この"読み下し文"は、奈良や平安、江戸時代によって、また解釈（かいしゃく）する人によって、異なっています。

文芸評論家、小林秀雄（1902～1983年）は、"「論語」は、こうでなければならない、という固定的、絶対的な解釈はない"、と言いました。それは、これらのことが背景にあるからかもしれません。今日なお研究がなされ「論語」の読み直しがなされています。

江戸時代後期の禅僧で歌人、良寛（りょうかん）（1758～1831年）は、「論語」から、心に響（ひび）く言葉を選んで抜き出し、子どもにもわかるように

訳しました。そうやって抜き出した言葉は、強い生命力を感じさせるものになっています。この本では、この良寛のやり方にならって「論語」を解説しています。

　なお、本書は、筆者が主宰する勉強会用の冊子『だから私はこう生きる』をベースにしたものです。

　この本が、「君はどう生きるか？」と聞かれたら、「だから私はこう生きる！」と答える手引きになりましたら幸いです。

樫野紀元

昔の書物は木や竹の札だった

　孔子の時代、書物は、木簡や竹簡（木や竹の小さな札）に墨で字を書き、その札を紐で繋いで巻物（書巻）にしていました。書物を、一巻、二巻、というのは、これがもとになっています。その後、たくさんコピーできる木版印刷が普及しました。木版印刷は、字を彫った版木に墨を塗って紙を当て、バレンでこすって印刷したものです。字の部分は、墨がついていないので、白く見えます。このことから、古い木版印刷による漢文を白文というのです。中国古典の原文を、白文というのはこのためです。

目次

第2章　生きるってどういうこと？

第4章　士って、どんな人？

第5章　なぜ勉強しなければならないの？

第7章　人生のクォリティを高める

第8章　存在感を高める

第９章　天は万物の根源

【本文イラスト制作】加藤深雪

第1章

私たちに与えられているもの

　皆さんは、"私って、何だろう？"と自分自身に問うたことがあると思います。まずは、その答えを探ってみましょう。すぐに思いつく答えは、"私は、心と身体からなる"ではないでしょうか。確かに、私たちは意識と心の働き、そして身体と五感（見る、聴く、触る、嗅ぐ、味わう）をもっています。

　孔子は、私たちの心と身体は"天から与えられたもの"と言っています。早速『論語』を読んでみましょう。

（1）　心と身体は宇宙からやってきた⁈

　私たちの心について、孔子は一言、次のように言っています。

「天、徳を予に生せり」

『天生徳於予』

〈宇宙を支配する最高の神（天）は、私たち人間に、素直な心を
まっすぐ出して善い行いをする心の働き（徳）を与えました〉

{天は、孔子の時代、宇宙を支配する最高の神のことでした。また、天には
あらゆるものをつくり出す神（造物者）という意味もありました。徳という
字を見てみましょう。徳の字の右側（つくり）は、素直な心という意味があ
ります。素直な心には、おだやかで正しく清らかな心も含まれています。そ
して徳の字の左側、行人偏には、四つかどに来たらまっすぐ進む、という意
味があります。つまり徳は、素直な心をまっすぐ出して善い行いをする心の
働きという意味なのです。予は余と同じで自分のことを指します。ここでは、
予は私たち人間、の意味になります。生は、くだす、と読み、与えてくれた
という意味になります}

　ところで、漢字の読み方ですが、大陸から入ってきた読み方を
"音読み"と言います。ここに出てくる、生は、音読みでは普通、
せい、しょう、と読みます。せい、と読むのは、中国が漢と言っ
ていた時代の読み方、漢音です。しょうは、呉の時代の読み方、
呉音です。このように、字の読み方は時代とともに変わっていま

す。他の字、例えば、行は、漢音では、こう、呉音では、ぎょう、唐の時代の唐音では、行灯のように、あん、と読みます。"音読み"にも、いろいろあるのですね。

　一方、生を、いきる、いかす、うまれる、また、行を、いく、おこなうなど、漢字に日本語をあてて読むのを"訓読み"と言います。

　「論語」の読み下し文は、日本人が読みやすく、また心に響くよう、漢音、呉音、唐音などの"音読み"と"訓読み"とを適当に交えて作られています。

☆

　皆さん、自分の良いところを三つ上げてみてください。人に優しい、自然を守る、うそをつかない……、いろいろあると思います。自分の良いところ三つには、何か共通するものがあることに気がつきませんか?　その共通するものは、素直な心、そして善

い行いをする心の働き、まさに徳ではないでしょうか。

　誰もが心の奥底に徳をもっている、そしてそれは宇宙の最高の神様から与えられたもの、つまり宇宙からやってきたものですよ、と孔子は説いているのです。孔子が生まれるずっと前から広まっていた、星の動きをもとにした占いの方法「易」では、"徳は宇宙にある聖なるもの"と教えています。孔子は、若い頃から「易」を学んでいたといいます。そして後年、この「易」を学問のレベルにまで高めています。「論語」には「易」をベースにした言葉がいくつもあります。それにしても、徳は宇宙にある？　この謎は、この章を読み終わる頃には、きっと解けていることでしょう。

☆

　一方、身体について、孔子は次のように言っています。これは、親孝行ってどんなことですか？　と聞かれたときに孔子が答えた言葉です。

「父母には唯其の疾を之憂う」

『父母唯其疾之憂』

〈父や母に辛いことや苦しいことが無く、突然天国に召されることがないように、と心の中でいつも思っている、このことが親孝行なのです〉

{唯は、ひたすら、です。**其**の、は父母を指します。**疾**は、辛いこと、苦しいこと、という意味です。疾病というように病気を意味する字でもあります。この字には、もともと疾風（とても速く吹く風）や疾走（とても速く走る）というように、あっという間にものごとが進むという意味があります。原文

には、其の疾、とありますから、これは、父母があっという間に天国に召されるという意味を持つのです。憂は、心で思う、です}

☆

　この言葉を、疾を病の意味だけで読み、子が病気しないよう気を付けて親を心配させないことが親孝行である、と訳すのが通例です。このように訳すのは、孔子が親孝行について語った言葉をまとめた「孝経」に、"親からもらった身体は大事に使いなさい"とあるからかもしれません。しかし関連する「論語」（章末に掲載）などを参照すると、この言葉には、親があっという間に天国に召されることがないよう心の中で思っていることが親孝行になるという意味があることがわかります。それにしても、心の中で思うだけで親孝行になるなんて、一体どういうことでしょう？この謎もすぐに解けると思います。

☆

　皆さんは、すべてが原子*¹でつくられていることを知っていますね。山や木も、空気も、水も、ノートも本も、すべて原子でつくられています。私たちの身体も原子でつくられています。私たちの身体を構成している細胞は約37兆個です。個々の細胞はそれ

＊1原子はすべての物質をつくっている目には見えない粒子です。水（分子）は、水素原子2個と酸素原子1個からつくられます。原子は、一つの原子核のまわりを電子が回っているという姿です。太陽の周りを金星や地球、火星などの惑星が回っているのと似ています。電子は皆同じです。その数によって、例えば、電子が一つなら水素、二つならヘリウム、三つならリチウム、というように、電子の数の違いでいろいろな原子になるのです。そんな原子がたくさん集まって、いろいろな物質をつくっているのです。
　ちなみに、原子の大きさは、10のマイナス8乗センチメートルです。10のマイナス1乗は0.1、マイナス2乗は0.01です。マイナス8乗なので、少数点以下0が8個もあります。つまり原子の大きさは1億分の1センチメートルなのです。とても小さくて想像すらできませんね。ところで、10の2乗は10×10で100ですね。10の3乗は10×10×10で1,000です。驚いたことに、原子は10の32乗もの年数、つまり10を32個ならべた年数、生きているといいます。原子はとてつもなく長生きなのです。

ぞれ約200兆個の原子でつくられているといいます。そして私たちの身体の細胞をつくっている原子は、宇宙の星をつくっている原子と同じです。

　星の寿命は原子よりもはるかに短いです。星は寿命がくると超新星爆発し、あるいは白色矮星（はくしょくわいせい）になり、ガスや微細な粒子（原子がいくつも合わさったもの）になって宇宙の空間に飛び散ります。飛び散ったものは新しい星をつくるもとになります。もとの星をつくっていた原子は新しい星をつくるもとになるのです。私たちの身体も寿命がくると活動をやめ、火葬され、炭素や酸素などになって空中に飛び散ります。飛び散ったものは新しい生命体や鉱物などをつくるもとになります。宇宙で新しい星のもとになるかもしれません。

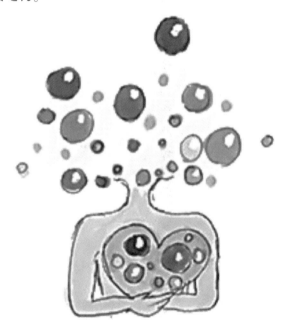

原子はとてつもなく長い年数生きている間に、星をつくったり、私たちの身体をつくったりしているのですね。宇宙にある星をつくっている原子も、私たちの身体を作っている原子も、同じものですから、まさに私たちの身体は宇宙からやってきたと言えるでしょう。

　自分は天から与えられたものと考えると、自分自身の見え方がこれまでとは違ってくるのではないでしょうか。

　皆さん、誕生日はお祝いしますね。誕生日は、今こうして心と身体を与えられて生きている、いや生かされていることに感謝する日かもしれません。

　ところで、宇宙の目には見えない広大な空間には、一体何があるのでしょう？　宇宙の空間は原子よりもさらに小さな素粒子で満ちています。素粒子って何でしょう？　原子の原子核にある陽子と中性子の中にあるクォークや電子が素粒子です。素粒子は原子をつくるもとなのです。それだけではありません、力をもたらす粒子や重さをもたらすヒッグス粒子、光子、太陽の核融合で放出されるニュートリノなども素粒子です。素粒子は宇宙にあるすべてのものをつくり、それを動かすもとなのです。地球も、地球にいる私たちも素粒子でつくられ、生かされているのです。私たちが吸っている空気も実は素粒子の集まりです。素粒子は私たちの命のもと、エネルギーのもとなのです。

　目には見えませんが宇宙に満ちている素粒子は、目に見えるすべての星をつくり、それを動かす、とてつもなく大きなパワーをもっているということです。つまり目に見えない心は目に見える物体よりもはるかに大きなパワーをもっている、言い方を換えると、心で思うことは実現するということです。

孔子は、長生きすることを心で思っていることこそが親孝行であると言いました。心で思うことは実現する、だからそれが親孝行のもとになるというわけです。

「素粒子はすべてのおおもと」

　「素粒子は、すべてのものにパワーを与え、重力をもたらし、電気や磁気、光など万物のおおもとです。その素粒子は、粒子性（物質）と波動性（状態）の二面性をもっています。素粒子の代表といえる電子は、粒子であり波動でもあるのです。こうした二面性を持つものを量子といいます。

　粒子と波動の性質を合わせ持っているので、素粒子の動きはとても不確定です。この世が不確定なのは、この世をつくっているおおもとである素粒子の動きが不確定だからと言えるのかもしれません。また、どんなに大きな宇宙の現象も素粒子レベルでの極小の問題としてとらえることができます。素粒子のふるまいを明らかにするのが量子力学です。量子力学をもとに超高速の量子コンピュータをはじめ、新薬や先進医療の開発などが行われています」

　昔の人は、地球に降り注いでいる私たちの命のもと、エネルギーのもとである素粒子に独特の気配を感じ、それを「宇宙の気」と呼んでいました。そして宇宙の気が変化して身体がつくられ、身体が滅びるとそれは宇宙の気になって天に還る、これが天の理であるとしていました。

　その宇宙の気について、大事なことをお話しいたしましょう。

　それは、宇宙の気は私たちの心のふるさと、ということです。宇宙には、秩序と調和を保って静かに運行する星もあれば、彗星のように変則的に動く星もあります。宇宙の気は、宇宙のすみずみに行き渡り、静か

に動く星にも変則的に動く星にも、わけへだて無くパワーを与えています。その姿は、あたかも我が子に無償の愛をささげる親の姿ではありませんか。徳の心そのものです。まさに"徳は宇宙にある"のです。

　そして宇宙には、人類が出現して以降、すべての人の意識（原意識）が量子情報として貯えられているといいます。言うならば意識のクラウドが宇宙にあるのです。そこにあるものは私たちの心の働きのもとになるすべての意識なのです。つまり意識のクラウドには善い心の働きも好ましくない心の働きも、すべての心の働きが入っているのです。私たちは、その意識のクラウドと、いつも波動でやり取りをしているのです。

意識のクラウド

　宇宙にある意識のクラウドは、古代インド哲学でいう、五つの元素、地、水、火、風、アカーシャ、のアカーシャの概念に似ています。アカーシャは、宇宙にある、宇宙の誕生以降のあらゆるできごとが記録されているもの、のことです。そしてまた、アカーシャは私たちの意識のもとであり、地球に生命が誕生して以降のあらゆる動物や植物の意識が記録されているものです。

　英国グラスゴー大学のD.ハミルトン博士は、"私たちの意識は、量子レベルで、時空を超えて存在している"としています。

　アメリカ、アリゾナ大学意識研究センター所の元所長、S.ハメロフ博士は、"私たちの意識は量子情報として宇宙に貯蔵され、永久に存続し続ける"と言っています。そして"この量子情報は、私たちの脳細胞にあるマイクロチューブルで休むことなくキャッチしている"としています。

　またノーベル賞受賞者を30名以上も排出しているドイツのマックス・プランク研究所、元所長のH.P.デュル博士やC.ヘルウィク博士は、"私たちの身体は滅びても意識は宇宙にある量子情報の中に入って生き続ける"としています。

　こうしてみると、古代インドの人が、意識のおおもとは宇宙にある、と考えていたことが、最近の科学で明らかにされていると言えるのかも

しれません。

　宇宙にある量子情報は、スマホなどの情報クラウドの概念と似ているので、意識のクラウドと称することといたします。

（2）　なぜ、人によって性格が異なるの？

　性格の違いは心の働きの違いに他なりません。なぜ人によって性格が異なるのでしょう？　孔子は次のように言っています。

「性相近き也。習相遠き也」

『性相近也。習相遠也』

〈心の働きは生まれたときは誰もがほぼ同じです。でも幼年期から大人になるまでに接する親や大人たち、そして周りの環境の影響を受け、心の働きは人によってかなり異なったものになります〉

{**性**は、しょう、と読み、もって生まれた（与えられた）心の働きという意味です。**近**は、ほぼ同じ、よく似ているという意味です。**習**は、じゅう、と読み、繰り返しやっているうちに身に付いたもの、という意味です。**遠**は、かけ離れた、を意味します。**也**は、そうなんだからね、と強調するときに使う字です}

　生まれたときは皆等しく良い心の働きが与えられていても、成長する間に周りから好ましくない影響を受けていると、良い心の働きが表に出なくなってしまう、人の性格は心の働きによってつくられるから、子育てはしっかりとねと孔子は言っているのです。

　四つ葉のクローバーは幸せを呼ぶ、と言われています。その一つひとつの葉は、愛、勇気（やる気）、希望（理想）、信頼を意味しているといいます。私たちは生まれたとき徳が与えられていますが、この四つの善い心の働きも与えられているのです。

　注意しなければならないのは、人はこうした善い心の働きと合わせて、自分勝手、乱暴、卑怯、怠惰など、好ましくない心の働きも、少なからず与えられているということです。これらのどの心の働きをより多く表に出すかによって、性格が異なって見えるのです。

　宇宙にある意識のクラウドの中には、善い心の働きと、好ましくない心の働きの両方が存在しています。こうしてみると、私たちの心は宇宙の縮小版と言えるのかもしれません。

　幼年期から大人になるまでの間に、ずるいことをしたり、自分勝手だったり、乱暴したり、こせこせして人の悪口を言ったり、何かと人のせいにしたり、やる気がないなど、好ましくない心の

働きを表に出す親や大人たちに接していると、もともと与えられている善い心の働きが表に出なくなり、好ましくない心の働きが、たくさん表に出るようになってしまいます。そしてそれが、その人の性格として現れます。

　でも安心してください。自分で、これは良くないな、と思ったら、その性格を変えることができます。このことは後の章でお話ししますね。

☆

　孔子は、こんなことも言っています。

「其の以いるところを視、其の由るところを観、其の安んずるところを察すれば、人いずくんぞかくさんや」

『視其所以、観其所由、察其所安、人焉廋哉』

〈①その人が日頃、どのようにふるまっているか、注意してよくみましょう。②その人は、何を根拠に話し行動しているか、よく確かめましょう。③その人は、どんなときに喜ぶか、よくみきわめましょう。この①〜③によって、その人の性格がよくわかります。それは隠しきれるものではありません〉

{以いるは、手段やふるまいを意味する言葉です。視は、注意してよくみる、由は、〜にもとづく、観は、みて確かめる、安は、心おだやかに、喜んでいる、という意味です。察は、よくみきわめる、という意味です。いずくんぞ〜や、は、どうして〜であろうか、〜できるものではない、という構文です}

☆

　孔子は、その人が、①ずるく、卑怯なふるまいをしていないか、

②話していることや行っていることの根拠は何か、③心楽しくしているのはどんな時か、をみきわめると、その人の性格を知ることができますよ、と言っているのですね。

　ところで、皆さんは君子と小人という言葉を知っていますか？

　君子は善い心の働きを表に出す人を言います。君子は誠実で謙虚、思いやりがあり、すぐに腹を立てたり大声を出したりしません。間違ったら率直に謝り、潔く責任をとります。

　かつては、身分が高い人や組織のリーダーなど、社会的地位が高い人も君子といいました。

　一方、小人は好ましくない心の働きを表に出しがちな人を言います。小人は自分勝手で、横柄、こせこせして、ずるがしこく、嘘を言い、すぐ腹を立て、陰で悪口を言ったりします。また目先の利益を追い、人の目を気にし、保身にはしり、間違いは人のせいにします。

　君子は品位が備わった人格者として尊敬されます。顔かたちや体型には関係ありません。一方、小人は器量が無くとるに足りない人という印象を与えます。

　人の性格は顔（特に目）や声、しぐさや身のこなしなどに現れます。一般に、小人が爽やかさを感じさせないのは、せっかく与えられた善い心を出していないという意識が心の底にあるからでしょう。

　この本では、君子は善い心の働きを出す人、あるいは品格ある人を言い、小人は好ましくない心の働きを出す人、器量がなくこせせせしている人を言うことにいたします。

私たちには君子と小人のどちらの要素も与えられています。誰もがいつでも、君子と小人のどちらにもなるのです。

　どちらを選択するかは私たち自身です。時にはつい小人であることを選択してしまう場合があるかもしれませんね。

（3）　幸せのもと

　幸せって何でしょう？　テストでいい点を取ったとき？　スポーツの試合で勝ったとき？　新しいことを発見したとき？　おいしいものを食べるとき？　旅行に出かけるとき？　いい絵が描けたとき？　大きな家に住むこと？　高価なものを持つこと？　日々平穏に暮らせること？　……人によって幸せはさまざまです。

　孔子は、幸せになるおおもとは愛の心を出すことと言っています。

「仁、以て己が任と為す」

『仁以為己任』

〈自分がいつも大切にしているのは、人を思いやり世話をする、つまり愛の心です。これが幸せのもとなのです〉

｛仁は、一言で言うと愛のことです。愛は、相手の立場や気持ちを考え、思いやりをもって接することをいいます。愛には、親子の愛、師弟の愛、貧しい人や弱者への愛などいろいろあります。そもそも愛は、人種の違いや貧富の差といった区別なく人を慈しみ、思いやり、世話をするという意味なので

す。己は自分自身のことです。任は抱え込んだ重い物を表す字ですが、ここでは、大切にするものという意味があります。為すは、する、です}

☆

　愛はお金で買うことができません。その愛の心を出すのが幸せになるおおもとですよ、と孔子は言っているのです。

　友だちが忘れ物をしたときに自分のものを貸してあげますか？

　目の不自由な人に声をかけてあげますか？　気分が悪くなった人に声をかけてあげますか？　お年寄りが階段を上がり下りする時、手をさしのべますか？

　愛の心を出して困っている人を助けると、心の底から満足感がわいてきます。それが幸せのおおもとなのです。私たちはそう創られているのです。

　地球の周りは人を心地よくするα波がとりまいています。愛の心は、そのα波と共振します。それによって私たちは最高に心地よくなり幸せを感じるのです。

☆

　でも状況によっては、愛の心や思いやりの心を表に出せないときがあります。いくら愛の心を出そうと思っても、言葉や行動でそれをあらわせないことがあるのです。そんな時は、あの困っている人が救われるといいな、助かるといいな、と心の中で思ってください。そう思うことが愛の心です。

　努力している人を、行動で応援できないときは、心の中で応援してください。

　心の中で思うことによって、それはいつかごく自然に言葉や行動になって現れるようになります。

☆

　孔子は次のようにも言っています。

15

「苟しくも仁を志せば、悪むこと無き也」

『苟志於仁矣、無悪也』

〈もしあなたが愛の心を出して人に接するなら、誰も不快になる
ことはありません〉

{苟しくも〜は、は、もし〜ならば、です。志すは、心をその方向に向ける、
です。悪は、にくむ、と読みます。そもそも悪という字には、人を不快にす
るという意味があります。悪の反対は美です。美は心地よい、がもともとの
意味です。今、悪の反対は善ですね。原文には矣という字が文のおしまいの
ところについています。矣は、也と同じで、そうだからね、と強調するとき
に使う字です。也の方が矣よりも強く響きます。矣は、普通、読み下し文に
は入れません}

☆

　愛の心を出すと、たいていの場合ものごとがうまく進みます。
愛の心を出されて文句を言う人はいませんからね。
　孔子は、自分のことを第一に考えるよりも人のことを第一に考
える方が自分が幸せになるもとですよと言っているのです。

「遭難したエルトゥールル号の乗組員を救った日本人」

「1890年９月、明治天皇への使節団を乗せたトルコのエルトゥールル
号が、帰途、台風の影響で和歌山県の南端、樫野埼で座礁しました。夜
のことでしたが、地元の人たちは松明を灯し、目もくらむほどの高い崖
を危険をものともせずに降りて、波が打ち寄せる岩に投げ出されている
トルコの人たち69名を引き上げました。

　そして、手分けして自分たちの住まいに寝かせ、傷の手当てをし、身体を温めました。また備蓄してあった食糧をわけました。

　地元の人たちによる愛の心の実践により、遭難したトルコの人たち69名の命は救われました。この話はトルコ国内で今なお語り継がれています。

　時が経って1980年代、イランとイラクの間で7、8年にわたる紛争がありました。ある時イランに隣国イラクから爆撃の予告がなされました。当時イランにいた多くの日本人は命が危ぶまれる状態に置かれました。しかしイランから出国する手段がありません。

　途方に暮れる多くの日本人を救ってくれたのはトルコの人たちでした。トルコ政府が特別にチャーター機を用意して日本人をイランから脱出させてくれたのです」

― 第1章に関連する他の「論語」―

「今、親孝行は、是親を能く養うを謂う。犬馬に至るまで皆能く養う有り。 敬せずんば、何を以て別たんや」

『今之孝者、是謂能養。至於犬馬、皆能有養。不敬何以別哉』

〈親孝行は親をよく養うことを言います。でも人は犬や馬も、よく養います。親を心底から大事に思う心が無いのであれば、いくら親をよく養っても犬や馬を養うのと何ら変わるところはないのです〉

「里は仁なるを美と為す」

『里仁為美』

〈自分が生まれ育つところ、そして住むところは、人格を磨く上でも、また心の健康を保つ上でも、周りに仁（愛）の心を持つ人が多くいるところがよいのです〉

「君子は徳を懐い、小人は土を懐う」

『君子懐徳、小人懐土』

〈品格ある人は、ひたすら善い心の働きを出すことをこころがけます。器量が無くこせこせしている人は、ひたすら自分が所有する田畑のことを心配します〉

第2章

生きるってどういうこと？

　第1章を読んで、どんな感想をもちましたか？　ざっと2,500年前の孔子の言葉が宇宙と大きなかかわりがあり、その言葉の内容が今日の科学で説明できるものだったなんて、本当に驚きですね。でも、これが「論語」の真実なのです。

　ところで皆さんは、自分は何のためにこの世に存在し、生きているのか、おわかりでしょうか？　この章では、孔子の言葉からその答えを見つけましょう。

（1）　私たちが選べること、選べないこと

　私たちは親を選ぶことはできません。生まれた時、親はすでに決まっています。家を選ぶこともできません。家がお金持ちか貧乏か、生まれた時はすでに決まっています。人種や性別を選ぶこともできません。国を選ぶこともできません。

　星も同じです。星雲は大きく岩石系とガス氷系に分けられますが、このどちらの星雲から誕生するかで星のタイプが決まります。星のタイプは星が誕生する以前に決まっているのです。ちなみに太陽系の惑星で言えば、水星、金星、地球、火星は岩石系で、木星、土星、天王星、海王星はガス氷系です。

☆

　そんなふうに言うと、何だかがっかりしますね。でも私たちは生まれた後の自分の生き方を選ぶことができます。家がどうであろうと人種や性別がどうであろうと、私たちは、こうなりたい、こうしたい、と思うことによって、自分の人生をつくっていくことができるのです。これができるのは人だけです。

☆

　何を着るか、何を食べるか、何をして過ごすか、私たちは日々刻々、何らかの選択をしています。進学、就職、結婚、転職……、みな自分の選択によって決まります。ことの大小はともかく、さまざまな局面で、いつも私たちは何かを選択しているのです。

　時には間違った選択をすることもあるでしょう。選択によって上昇下降を繰り返す、それが人生の道筋でもあります。

　いずれにしても、はっきりした目標や希望を持って進めば、日々刻々、自ずとその目標や希望に沿った選択をするものです。

そして人生は必ずその方向に向かいます。

☆

　孔子は、その選択のもとになるとても大事なことを二つ示しています。一つ目は次のようです。

「我、仁を欲すれば、ここに仁至る」

『我欲仁、斯仁至矣』

〈こんな人になりたい、という理想を持っていると、必ず自分がなりたいと思っている人になれます〉

{仁は愛という意味の他に、理想的な人という意味があります。ここでは理想的な人と訳します。至る、は目指すところにとどく、あるいは行き着くという意味です。この言葉には文末に矣が入っているので、そうだからね、と強く言っていることがわかります}

☆

　孔子は、なりたい自分を思いなさい、思い描いている理想は実現する、だから理想を持ってください、それは人生のいつの時点でも正しい選択のもとになりますよと言っているのです。

　時としてひどい状態になることがあるでしょう。たとえひどい状態になったとしても、何とか踏ん張ってそれに耐え、自分の理想が実現することを思うことが正しい選択なのです。

☆

　皆さん、自分は何を理想とするか、心の奥底にある自分の声をよく聞いてみてください。こんなことを理想としたら、きっと人から笑われる、そんなの無理と言われる、などと思わないように。

口に出さなくてもいいのです。堂々と自分の理想を持ってください。ダメになって傷つきたくない、遊んでいたい、だから理想など持たないというのでは、本当にダメな人になってしまいます。皆さんはそんなにヤワではないと思います。

　理想を持ち続ける人は強い人です。その姿に人は感動します。理想を持って行動すると、その思いは宇宙にある意識のクラウドにある同じ情報と共振します。それによって思いが実現するのです。

　理想が実現するまでには、さまざまな試練があるものです。試練は、その人が理想の実現をどのくらい望んでいるか、その試練にどのくらい耐えられるかを試すために与えられるのです。幸いなことに嫌なことばかりが続くことはありません。試練を受けている間にも、気の合う友だちが遊びにきたり、家族旅行に行ったり、美味しいものを食べたり、嬉しいことや楽しいことがいろいろあります。

　星は、他の星と衝突合体を繰り返すことによって大きくなります。大きくなると重力が増し引き寄せる力が増します。衝突という試練に耐えるほど大きな星になるのです。

　地球にはだいたい1万年に一度、水をたくさん含む彗星が衝突しました。そして衝突するたびに彗星から大量の水が地球にもたらされました。彗星の衝突は地球にとっては試練でした。誕生してからこれまでざっと46億年もの間、何万回もこの試練を経て地球は今日美しい水の惑星になったのです。

　理想を持っていると、必ずその実現を手伝ってくれる人が現れます。自分の周りにいる人やネットその他で自分が頑張っている

ことを知った人の中には、必ず自分の理想の実現を手伝ってくれる人がいるのです。

☆

　孔子は少年期から青年期、とても悲惨な人生を送ったそうです。小さいときに両親が亡くなったので、孔子は家畜の世話をしたり、倉庫の番人をしたり、その他、人が嫌がる仕事をたくさんして暮らしを立てていたといいます。

　しかし、いつか自分は広く社会に役立つ仕事をして人々を幸せにしたいと心の中で思っていたようです。そして、孔子の力量を評価する人やふさわしい地位に就けてくれる有力者が現れ、孔子は地方の司法や行政の責任者になりました。小さい頃からの理想が実現したのです。

☆

　孔子は人が嫌がる仕事をしているうちに心が鍛えられたのでしょう。とても心が強くなったようです。すり傷が治るときカサブタができますね。カサブタが取れたとき皮膚のその部分は前より強くなっています。同じように心の傷にもカサブタができて、心が強くなるのです。

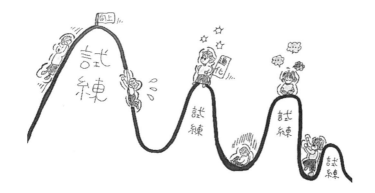

とは言え、あまりに不当な扱いを受け、耐えられないくらいに心が傷つくようなときは、理想を持って進めなどと言われても、とてもそんな気分にはなれません。これは耐えられない、心にカサブタができるというレベルをはるかに超えていると感じたときは、身近な信頼できる人に助けを求めましょう。あるいは思い切ってそこから離れましょう。でも決してあきらめないことです。一息ついて、また、新たに理想を持って進むことです。

☆

　大事な二つ目は、次のようです。

「仁者は 壽 」
<small>じんじゃ　いのちながし</small>

『仁者壽』

〈いつも愛の心を出し、思いやりをもって人に接している人は、元気で長生きするものです〉

{仁者は、愛の心を出し、思いやりがある人をいいます。壽は、一字で、いのちながしと読みます。これは元気で長生きするという意味です}

☆

　孔子は、思いやりをもって、人のためになることをしていると、不思議に長生きするものだ、と言っています。愛の心は、地球をとりまいている α 波と共振して大きなパワーが生じるのです。

　愛の心を出す人は幸せをたくさん感じ、病気から遠ざかって長生きします。それに、人のために何かをしていると器量が大きな立派な人という印象を与えます。何より、天に徳を積むことになります。

　人への慈しみは自分への慈しみなのですね。だから、いつも思いやりをもつことを選択しなさいというわけです。

　いつも人のためと言っても、実践するのはなかなか難しいかもしれません。でも、まずはそう思うようにしてください。

☆

　相手を思いやるとき、自分も相手も身体の中でオキシトシンというホルモンがたくさん分泌します。オキシトシンは恐怖や不安、そしてストレスを減らし、心を癒す働きがあります。オキシトシンは幸せのホルモンと言われています。

　このホルモンは免疫力を高め、感染症を防ぎ、傷ついた血管を修復する働きもあるといいます。それで若返りのホルモンとも言われています。

　オキシトシンは笑顔で人に接するだけでも分泌するそうです。このホルモンは80歳、90歳になってからも分泌します。

「渋澤栄一やマザー・テレサが理想としたこと」

　実業界の育ての親とされる渋澤栄一（1840 ～ 1931）は、自分の利益よりも人々の利益を第一に考える経営を理想としました。

　渋澤栄一は、人をあざむき、ずるいことをして利益を得ても、その会社はほどなく衰退する、本当の利益は世のため人のためという高潔な経営方針によってこそ得られると説きました。

　高潔な経営方針などときれいごとを言っても始まらない、と言われながらも、会社は人々のためにあるという信念を貫き、部下の意見を謙虚にききながら、誠実に経営を行いました。結局はそれが幾多の事業の成功をもたらし、またそれを長続きさせたのです。

　こうした理想を持つに至った背景として、一つには彼が幼少の頃から「論語」を学んだことが上げられるでしょう。仕事も生活も「論語」を

もとにしていたといいます。後年、彼の講演記録をもとに書かれた『論語と算盤』が世に出されました。

彼の言葉を一つ紹介しましょう。「夢無き者は理想無し、理想無き者は信念無し、信念無き者は計画無し、計画無き者は実行無し、実行無き者は成果無し、成果無き者は幸せ無し」

理想を持っていると心が強くなり、また心が癒されるのですね。

ユーゴスラビア（現マケドニア）出身のカトリック修道女マザー・テレサ（1910～1997）は、インドのコルカタというところで貧しい人や孤児、病気の人たちの救済に人生をささげました。

"誰もが愛される資格がある"と言い、87歳で生涯を終えるまで、マザー・テレサは困っている人たちに愛の心を出し続けました。それが自分の理想の人生だったのです。

必ずしも衛生的とは言えない環境にいながら感染症などに罹(かか)ることもなく、当時としてはかなり長生きしました。マザー・テレサはノーベル平和賞を受賞しています。

（2）生きる意味

　誰にも生きる意味があります。生きる価値があるのです。孔子は、その価値を生かすために、身体が動く間は一つでもいいから世の中に役に立つことをやりなさいと言っています。

「たとえば山を為<ruby>為<rt>つく</rt></ruby>るが如<ruby><rt>ごと</rt></ruby>し。未<ruby>未<rt>いま</rt></ruby>だ一簣<ruby><rt>いっき</rt></ruby>を為<ruby><rt>な</rt></ruby>さずして止<ruby><rt>や</rt></ruby>むは、吾が止<ruby><rt>わ</rt></ruby>む也<ruby><rt>なり</rt></ruby>」

『譬如為山。未為一簣、止吾止也』

〈私たちが生きるのは、たとえて言えば山を造るようなものです。竹のかご一杯の土も盛らずにいるのは、自分が生きていくのを止めているのと同じです〉

{為は、つくると読み、あることをすると訳します。如しは、〜と同じ、という意味です。未は、まだ〜しない、です。簣<ruby><rt>き</rt></ruby>は土を運ぶときに使う竹のかご（もっこ、と言います）のことです。一簣<ruby><rt>いっき</rt></ruby>はその竹のかご一杯です。止は、やめる、です。吾は自分のことです。也が入っているので、この言葉は、そうだからね、と強く言っていることがわかります}

☆

　孔子は、せっかくこの世にいるのに何もしないでいるのは生きている意味がないと言っているのですね。孔子は結構厳しい人だったようです。

　ともあれ、理想の実現を目指してしっかり生きていると、挑戦心が養われ、生き抜こうとする活力（ヴァイタリティ）が旺盛に

なります。このことは年齢にはまったく関係ありません。いくつ
になってからでも理想を持つのがいいのです。
　でも、あからさまに周りの人に自分のやる気や活力を示す必要
はありません。やる気は心の中にしまっておき、ごく自然に振る
舞っている方が宇宙からパワーをたくさんもらえます。

☆

　孔子はまた、次のように言っています。

「道を志し、徳に拠り、仁に依り、芸を遊す」

『志於道、拠於徳、依於仁、遊於芸』

**〈自分が身につけたいと思っている学問や技芸を修得する時は、
持って生まれた徳をよりどころにし、いつも思いやりをもって他
に接するようにして修行し、能力や技芸が身についたら、それを
人々のために発揮する、これが人が生きる意味なのです〉**

{道は、人の道などというように正しい行いをするという意味で使われるこ
とが多いですが、ここでは、自分が身につけたいと思っている医道、柔道、
剣道など専門的な能力や技芸のことです。**志**は、その方向に心を向ける、と
いうことです。**徳**は、持って生まれた、素直で善い行いをする心の働き、で
す。**拠**は、よりどころとする、です。**仁**は、愛の心を出し他を思いやる心の
働きです。**依**は、〜をもっぱらにする、です。**遊**は、遊説や遊学というよう
に、外に出す、発揮する、という意味です。**芸**は身に付けた能力や技芸のこ
とです}

☆

　どんなことでも、人それぞれに、やりたいこと、やれること、

やらなければならないこと、をやればいいのです。あるいは、他の人が、やらないこと、やれないこと、をやればいいのです。

　孔子は、学問にせよ芸事にせよスポーツにせよ、何をやるにしても素直で礼儀正しく（徳）、愛の心を出して励めば（仁）、上達が早いですよと言っています。

☆

　素直な人は謙虚に耳を傾けて学ぶので、教える側は教えやすいし、自分自身、砂が水を吸うように技芸を身に付けることができます。素直な心でいると、ものごとの本質がよく見えてきます。また愛の心を出していると応援する人や助力する人がより多く集まってきます。だから上達が早いのです。そしてその人が身につけた能力や技芸を皆が快く受け入れてくれます。

　素直な心、愛の心を出す人は勉強も仕事もよくできるようになります。そして尊敬され頼られる存在になるのです。

（3）正しい道を行く

　スポーツにせよ仕事にせよ、頑張っている姿に人は感銘を受けます。理想の実現に向かって頑張るのは自分だけではありません。他の人も、それぞれに理想を持って頑張っているのです。個々人の頑張りが、私たちがいるこの世を支え発展させるのです。

　孔子は、人の頑張りも認めてあげなさい、それが世のためになる、つまり正しい道を行くことですよと言っています。

「匹夫も 志 を奪うべからざる也」

『匹夫不可奪志也』

〈小さな世界にいて、ものごとをあまりよく知らない人も、その人なりに理想を持ち、その実現に向かって進んでいるとしたら、その志を打ち砕くようなことをしてはいけません〉

{**匹夫**は、小さな世界にいて、ものごとを広く知らない人のことです。**志**は、あることに心を向けること、です。**奪**うは、ここでは、その人の志を打ち砕く、の意味になります。べからざる、は**不可**、つまり、してはならない、です（下の囲み記事参照）。**也**が入っているので、そうなんだからね、と強く言っていることがわかります}

"べし"は"可（べ）し"で、おおむね、
次の五通りの用法があります

①当然、の意；〜するのがよい、〜するはず、〜しなければならない、と訳します。例）口は慎むべし。来るべき人。など
②確実な推量、の意；きっと〜するだろう、〜するに違いない、〜するらしい、と訳します。例）花は散りぬるべし。など
③意思決定を表す；必ず〜しよう、〜するつもりだ、と訳します。例）明日は遠国へおもむくべし。など
④可能、の意；〜することができそうだ、と訳します。例）期待にこたえるべく。など
⑤命令、の意；〜せねばならない、と訳します。例）全員もれなく参加すべし。など

☆

　自分が軽く見ている人や、快く思っていない人でも、その人なりに理想を持っているのです。でも、そうした人の志を尊重するには、自分のその人に対する軽蔑や嫌悪感がじゃまになるかもしれません。

　自分が快く思っていない人でも、その志を認めるのが人として正しい道なら……、まあ、いいかと 懐 深く構えてみては。

☆

　人を侮る（馬鹿にする）心や嫌う心を、思い切って人を大事にする心に切り替えると、人間関係は劇的に変わります。今まで侮っていた人や嫌っていた人が心から協力してくれるようになり、一人ではとてもできないことができるようになるのです。

　宇宙は進化し続けています。私たちの心も進化を望んでいます。心の進化が世界を変えるのです。

　ものごとを悪い方にばかり考えてしまう人や、対立と軋轢（人と仲が悪くなること）を生じさせがちの人は、心が進化できないおそれがあります。そんな人は信頼されず、人が遠ざかっていきます。

☆

　もう一つ、関連する孔子の言葉をご紹介しましょう。

「人、 遠 慮 無ければ、必ず近き憂い有り」

『人無遠慮、必有近憂』

〈ものごとを広い視点で考えていないと、必ず身の周りに何らかの心配ごとが起きるものです〉

{**遠慮**は、遠い先のことまで広い視点で考えるという意味です。目先のことを考える、の反対です。遠慮は、今日ではひかえめにするという意味で使われることが多いです。**近**は、身の周りに、の意味です。**憂**い、は心配ごとです}

　この世にはいろいろな国があり、人がいます。いろいろな産業や職業、文化や芸術があります。発展しているところもあれば、停滞しているところもあります。もめごとを抱えているところもあります。

　皆さん、その広い世界で自分は今どの位置にいるか考えてみてください。そして、自分はこれからどのように世の人々の役に立てるか考えてみてください。

　このように、広い視点でものごとを考えるのが遠慮です。遠慮は正しい道を行く基本なのです。

　この洋服は流行に合っていない、このタレントを知らないと時代遅れと言われそう、簡単なことができなくて恥ずかしい……。友だちがそっけない、店員の対応が悪い、弟が言うことをきかない……。こんなことで、とても嫌な気分になりますか?

　ゲームをしたり、あたりかまわず友だちと騒ぐのが、とても楽しいですか?

☆

　この世に大きな問題がなく、ごく普通に生活していけるときは、こうした日常もいいかもしれません。しかし宇宙は不確定で常に変化しているように、この世も常に変化しています。
　政治や経済のあり方によっては、今居る世界の活力が大きく低下することもあるのです。予期しない災害や疫病にみまわれるかも知れません。そうなると、その中にいる私たちは、たちまち生活に困ってしまい、今の日常は無くなってしまいます。

☆

　今の日常を送りながらも、自分は今、この世のどの位置にいるか、自分はこれからどのように人々の役に立てるか、を考えてみてください。いつも広い視点で考えていないと、困ったときにあわてふためくことになるのです。これが近き憂いです。
　広い視点で考えることによって、自分の立ち位置が明確になり、自分がこれから何をしたらよいか見えてきます。そうなると、今嫌なことや楽しく感じている日常がアホらしく思えてくるかも。

「自己紹介で話すこと」

　「皆さんは自己紹介のとき何を話しますか?　初対面の人たちに自分のことを少しでもわかってもらいたい?　仲良くしてもらいたい?　よい人と思われたい?
　親をはじめ幼少期に周りにいた人たちは、自分の性格形成や心の働きに少なからず影響を与えた人たちなので、自己紹介の一部にはなります。しかし親が社会的に高い立場にいる、金持ちであるなどを自慢すると冷

笑されるだけです。

　出身校や勤め先は一時期そこに身を置いたというくらいの意味しかありません。ましてや、出身校や勤め先が有名であることを得意げに話すと反発されるだけです。

　学んだこと、今やっていること、これからやりたいこと、趣味や自分が身につけた技芸を話すのは自己紹介になります。

　自分はこれだけ儲けた、人より一ランク上にいる、ブランド品をたくさん持っている、有名人の知り合いがいる、などを話すのは自分が自立していないことを示すだけです。

　人の人生は盛衰と浮沈など、相反する二つからなります。順調にことが運んでいるときもあれば、悲嘆にくれるときもあります。得意の絶頂にいたのが、突然、奈落の底に落ちるということもあるのです。

　失敗談を、自分をさらけ出して話す、これは十分自己紹介になります。それは他の人たちと手をたずさえ、ともにやっていける人という印象を与えるとても効果的な話になります」

― 第2章に関連する他の「論語」 ―

「巧言令色、鮮し仁」
（こうげんれいしょく　すくな）

『巧言令色、鮮矣仁』

〈ごまかしを言い、外見をよくするために化粧し着飾るような人に、他を思いやる心など、ほとんどありません〉

「能く五つを天下に行うを仁と為す。恭、寛、信、敏、恵なり」

『能行五者於天下為仁矣。恭寛信敏恵』

〈次の五つを世の中で実践する人は、理想的な人と言えます。その五つとは、①恭－ていねいで慎み深い、②寛－気持ちがゆったりしている、③信－約束を必ず守る、④敏－きびきび行動する、細やかに気を配る、⑤恵－恵み深くする、です〉

「君子に三戒有り。少き時は、血気未だ定まらず、之を戒しむるは色にあり。其の壮になるに及んでは、血気方に剛なり、之を戒しむるは闘にあり。其の老ゆるに及んでは、血気既に衰う、之を戒しむるは得にあり」

『君子有三戒。少之時、血気未定、戒之在色。及其壮也、血気方剛、戒之在闘。及其老也、血気既衰、戒之在得』

〈善い心の働きを出す品格がある人は、自らを戒めることが三つあります。その三つは次のようです。①青少年の頃は活力の行き場が定まっていない。この年代の時は、すぐにカッと腹を立てたりしないよう（気色ばむことがないよう）、感情の高まりに気をつける。また異性との関係が行きすぎないよう気をつける。②壮年になると、まさに意気盛んになり、活力が旺盛になる。この年代の時は他とムダな競い合いや争いがないよう気をつける。③老年になると活力が衰える。この年代になったら、自分が得することや、自己満足になることを求め過ぎないよう気をつける〉

第3章

人に嫌われない生き方

　第1章と第2章は皆さんに是非とも知っていただきたい、いわば「論語」の必修編です。この章から個別のお話になります。

　ところで、「論語」を理解していても実践しない人を"「論語」読みの「論語」知らず"といいます。「論語」は実践することです。この本をお読みになって気に入った言葉があったら、それを一つでもいいから実践してみてください。きっと日常が清々しく感じられ、人生が輝いてきますよ。

（1） 決してしてはならないこと

　孔子が、これだけは決してしてはならない、と戒めている言葉が二つあります。一つ目は次のようです。

「己の欲せざるところを人に施すこと勿れ」

『己所不欲、勿施於人』

〈自分がされて嫌なことは、決して人にしてはなりません〉

{己は自分のことです。欲するは、〜をしたいと思う、です。ここでは、**不**が入っているので、〜をしたいと思わない、になります。**所**は、そのこと、を指します。**施**すは、与える、です。**勿**れは、〜をするな、という禁止、命令の言葉です}

　パワハラ、セクハラ、いじめは、とても卑劣で恥ずかしい行為です。こうした行為をする人は、たとえ年輩の人でも自信が無く自己中心で、すぐ保身に走る弱い人です。そういう行為をする人は、自分より劣っている、あるいは自分より弱いと思っている人を、けなし、貶めることで、征服したような気分になって心地よいのです。

　パワハラ、セクハラ、いじめが、違法であれば犯罪です。まして恐喝や暴行、殺人に及んだら、それは凶悪な犯罪です。厳しく罰しなければなりません。

　すぐに感情を表に出す、注意するとふてくされるか逆切れする、何でも悪い方に解釈する、失敗を人のせいにする、人に知られたくないことをしつこく探る、人の批判をする、悪口を言う……、私たちの周りには、こうした人の心を傷つける人たちがいます。

☆

　多くの場合、人の嫌がることをして心を傷つけるのは、とるに足りない、こせこせした小人です。

　善い心の働きにせよ、好ましくない心の働きにせよ、宇宙にある、意識のクラウドに入った自分の心の働きの波動は、後で必ず自分に還ってきます。人の心を傷つけると、それはそっくり同じ心を傷つける波動になって自分に返ってくるのです。人を傷つけるたびに、実は自分の首を絞めているのです。

☆

　人の心を傷つける人は生まれながらに持っている徳や愛の心、思いやりの心とは全く反対の心の働きを表に出しています。それはその人の心がねじ曲がっているのです。

　心がねじ曲がっていると、コルチゾールやテストステロンというホルモンがたくさん分泌します。これらのホルモンは過剰に分泌するとストレスが多くたまり、体内に大量の活性酸素が発生し脂肪毒をためます。これはガンなどの大きな病気や老化のもとになります。

　人の心を傷つける人は自分の健康を大きく損なっているのです。

☆

　二つ目は、次のようです。

「利を 放 にして行えば怨多し」
（り　ほしいまま　　おこな　　えんおお）

『放於利而行、多怨』

〈自分が得になることをしたい放題にしていると、怨みをいだく人が多くなります〉

{利は、鋭いこと、都合よく運ぶこと、もうけ、などの意味がありますが、ここでは自分が得になることと訳します。放は、解き放つ、ですが、ここでは、したいほうだい、という意味になります。放を、よりて、と読む例がありますが、これは江戸時代の荻生徂徠による訓じ方の踏襲です。怨はうらみをいだく人のことです}

☆

　力がある者に、おべっかをつかって力を分けてもらい、その力を振りかざしてお金や地位を得る人がいます。そんな人は、たいてい、自分より優れている人をねたみ、自分より劣っている人には、偉そうにふるまいます。

　このような人に怨みを抱き、憎く思う人が多くなるのは当たり前ですね。

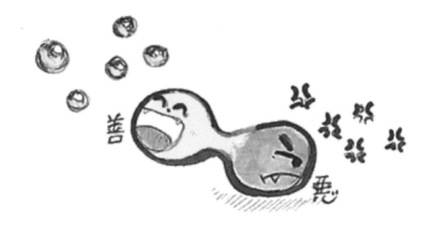

（2）後で悔むもとをつくらない

　何かに挑戦して失敗し、悔やむのは成功のもとになります。一方、人々に大きな迷惑をかけるようなことをして罰せられ、後で悔やんでも、それは取り返しがつきません。

「苟しくも過ち有れば、人必ず之を知る」

『苟有過、人必知之』

〈もし何らかの過ちをしでかし、それを隠していても、いつか必ず人々に広く知られることになります〉

{苟しくも～は、は、もし～ならば、です。過ちは人に迷惑をかける不祥事などの過ちをいいます。之は、他ならぬそのこと、です}

☆

　人に迷惑をかけるようなことをして、その証拠となる文書やデータを隠し、あるいは書き換えても、また偽りの証言をしても、それらはすべていつか必ず世に広く知られることになります。そして、人に迷惑をかけた人は皆から批判され、嫌われます。

　こんなことをしたら後でどうなるか、いつも考えるようにするのがいいのです。

☆

　すべての人の思いは、その内容を問わずすべてが宇宙にある意識のクラウドに蓄積されます。迷惑をかけた人、悪いことをしてそれを隠そうとした人の思いも、すべて蓄積されます。

人の心はいつも宇宙にある意識のクラウドとやり取りしているので、いつか必ずこと細かにその不祥事を知ることになるのです。

　後で人から嫌われて深く悔やむことがないよう、人に迷惑をかけるようなことはしないことです。

☆

「朽木は彫むべからず」

『朽木不可彫也』

〈腐って朽ちている木は表面がポロポロになっているので、彫刻してもすぐ崩れてしまいます。腐っている木には彫っても何ら意味がありません。朽ちている木には彫刻などしないことです〉

{朽木は、腐って朽ちている、または朽ちかけている木のことです。彫む、は木に装飾や字を彫刻することです。不可は、べからず、と読み、してはならないという意味になります。也が入っているので、強く言っていることがわかります}

☆

42

　この言葉の意味は、卑劣な行為をする人、人を騙して平気な人、人の心を傷つける人、周りに大きな迷惑をかける人、やる気が無く怠ける人など、心が荒廃しているダメな人（つまり朽木）には、いくら説教しても（彫刻しても）、それを聞く耳を持たないので、何ら効き目はない、無視されるか反発されるだけということです。

　とにかくダメな人は、意見を言ったところで直らないので放っておけと孔子は言っているのですね。

　そんなダメな人は、自分で自分の人生を壊していることに気がついていません。なぜ自分がダメなのかわかっていないのです。

　ダメな理由を自分で気がつかない限り、いつまでたってもその人は自分のダメなところは直りません。だから、ダメな人は自分でそれに気づくまで放っておくしかないのです。場合によっては、警察のお世話になるしかありません。

▌（3）いつでも善い自分に戻ることができる

　人に嫌われるダメな人も、何らかのきっかけで、これではまずいと気がつけば、みごとに立ち直ることができます。

「人の生くるや直なれば也。これを罔して生けるは幸いにして 免かるる也」

『人之生也直、罔之生也幸而免』

〈私たちが生きていけるのは、素直な心を表に出しているからで

す。親切、優しさ、約束を守ることなど、どこかにいいところが
あるから人は生きていけるのです。それを表に出さずに生きてい
けるとしたら、たまたま運よくひどい目にあわずにすんでいるだ
けなのです〉

{直は、素直な心です。罔は覆い隠すことです。幸は、ここでは、たまたま
運よく、という意味になります。免は、やっとのがれる、という意味です。
也が入っているので、そうだからね、と強く言っていることがわかります}

☆

　自分勝手、卑怯、怠惰、凶暴など、好ましくない心の働きを出
していても、その人の心の奥底には素直な心、秩序や調和を大事
にする、善いことをする心の働き、つまり徳があります。
　このままではよくない、だから好ましくない心の働きを出すの
は止めようと思うだけで、心の奥底にある徳が表に出てきます。
思うだけでダメな人が立ち直れるのです。

☆

　そのきっかけになるのは、親や兄弟、友人など近くにいる人の
愛の心です。あるいはダメだった人が頑張ってみごとに立ち直っ
た人の体験談です。

☆

「過てば則ち改むるに憚ること勿れ」

『過則勿憚改』

〈間違ったやり方は、ためらうことなく改めることです〉

{過ちは、ここでは、間違ったやり方、のことです。則ちは、すぐさま、と

訳します。改は、やり直す、です。憚るは、ためらって差し控える、という意味です。勿れは、〜するな、という禁止、命令の言葉です｝

☆

　何か一つのことにこだわって人の意見を聞こうとしなかったり、人を軽くみて横柄にふるまったり、ごまかして信頼を失ったり……。人から嫌われるこうした行いは間違っているから、ためらうことなくすぐに改めなさいと孔子は言っているのです。

　このことは勉強や仕事だけではなく、社会へ出てから経営、政治、その他、何にでも当てはまります。

☆

　失敗を過ちという言葉で表すことは多いです。研究やスポーツ、ものつくりや技芸などで自分を磨いているとき大きな失敗、小さな失敗はつきものです。失敗は自分を進化向上させるもとになります。

　失敗することを恐れていては自己の向上はありません。自分を高める上で失敗しないのが失敗なのです。

　間違ったやり方をすぐに改めることによって自分の品位が高まり、人から尊敬されるようになります。間違ったやり方を改められるかどうかは自分の思い一つです。

「すべては相反する二つからできている」

　「皆さん、この世はどのようにつくられているか考えたことがありますか？　実際、私たちがいるこの世はどのようにつくられているのでしょう。

　まず思いつくのは、天体から身の周りのものまですべてが原子でできているということです。原子はプラス（陽）の電荷を帯びる原子核と、

マイナス（陰）の電荷を帯びる電子から成ります。その原子をつくっているその素粒子は粒子性と波動性の二面性を持っています。

　このことからも、すべては相反する二つの要素を合わせ持っていることがわかります。天と地、昼と夜、男と女……。

　私たちは身体と心、つまり物質（身体）と非物質（心）の相反する二つを合わせ持っています。また誰もが善い心の働きと好ましくない心の働きを合わせ持っています。

　そしてこの世では、秩序・調和と混乱、安定と不安定、進化向上と停滞、平和と争いなどの相反する二つがいつも隣り合わせになっています。

　陽と陰は互いに結びつき、また互いに反発しあいます。混乱は秩序をつくり、不安定は安定を志向するもとになります。また醜いものがないと美の良さに気がつかず、不快なことがないと心地よさに気がつかないでしょう。

　この世が相反する二つによってできているのは、実は巧妙な仕組みなのです」

― 第3章に関連する他の「論語」―

「人の過ちや、各その党に於いてす。過ちを観てその仁を知る」

『人之過也、各於其党。観過其知仁矣』

〈人の過ちは、どんなものであれ、その人の心の働きによってなされるものです。どんな過ちをするかを観ることによって、その人の人柄を見抜くことができます〉

「君子は人の美を成し人の悪を成さず。小人は是に反す」

『君子成人之美、不成人之悪。小人反是』

〈善い心の働きを出す品格ある人は、人の良いところを認め、それを伸ばすようにします。人の好ましくないところを他に言いふらしたりしません。こせこせした器量が無い人はこの反対で、人の欠点を見つけ、それを言いふらします〉

「過ちて改めざる、是を過ちと謂う」

『過而不改、是謂過矣』

〈何らかの過ちをしでかして、それを改めない、それこそが過ちです〉

第4章

士って、どんな人？

　日本では、かつて、士はさむらいのことでした。江戸時代、さむらいは「論語」で君子の道を学び、実践しました。今日では弁護士や建築士、博士など何らかの資格を持つ人に士がつけられています。

　この章ではかつての士、さむらいがまず心がけた三つのことをお話しいたします。その三つは
　・自分をよく律する
　・いつも今何が一番大事か考える
　・ゆったりしている
です。
　昔、士は男子限定でしたが、今は男も女も老いも若きも、誰もが士になることができます。同じ生きるなら士として生きると恰好いい！

（1）自分をよく律している

「子、四つを絶つ。意なし、必なし、固なし、我なし」

『子絶四。毋意、毋必、毋固、毋我』

〈孔子は、次の四つのことを、心がけました。それは、①勝手な憶測をしない、②無理強いをしない、③頑なにならない、④かた意地をはらない、です〉

{子は、学問があり人格が優れた人につける敬称です。孟子、老子、朱子……。ここでは、子は孔子のことです。ちなみに孔子の本名は孔丘です。絶つは、やめる、切り捨てる、です。ここでは、〜をしないように心がけるという意味になります。毋は、なし、と読み、〜ない、と訳します。意は自分にとって都合がいい勝手な憶測のことです。必は無理強いすることです。固は頑なで融通がきかないことです。ついでですが、固は干からびた頭蓋骨を大事に抱えこんでいる、がもともとの意味です。我は、かた意地をはることです}

☆

　自己中心の人は、とかく自分の都合のよいようにものごとの状況や人の気持ちをおしはかります。また自分の考えが一番正しいと思い込んでいます。少しでも自分の価値観に合わないことや気に入らないことがあると、チョームカツクーです。そして自分の考えを押し通そうとします。

　このように自己中心にしているのは、とても見苦しいです。それだけではありません、頭の働きが鈍く人格が劣った、ちっぽけ

な人という印象を与えます。

☆

　孔子は、自己中心は絶対だめ、だからひかえめが一番いいとしました。そして、ひたすらこの四つをもとに自らを律しました。偉くなってからも上から目線になることなく、誰の意見にも耳をかたむけました。

　ひかえめにしていても、孔子は大事な場面では堂々と自分の意見を述べたといいます。

　品格があり人格が優れている人がひかえめにしていると、さすが立派な人という印象を与えます。何よりも、ひかえめにしていると宇宙の意識のクラウドの情報をより多く得られます。

☆

「君子は、食、飽くを求むること無し。居、安きを求むること無し。事に敏にして言に慎む」

『君子食無求飽。居無求安。敏於事而慎於言』

〈善い心の働きを出す人は、お腹がはち切れるくらいに食べることはありません。住まいの豪華さや財力の大きさにこだわることもありません。そして細やかに気を配りつつ、てきぱき仕事を進めます。また言葉遣いはとてもていねいで慎重です。陰で悪口を言うことはありません〉

{食は食べることです。飽は腹一杯食べることです。求は欲しがることです。居は住まいや蓄財を意味します。安は心が落ち着くことです。敏は、細やかに気を配り、且つ、きびきび動く、という意味です。事は用事、仕事のことです。慎は、つつしむ、慎重、です。言は、言葉遣い、です}

☆

マイホームや蓄財を目的にしている人もいます。それは働くモチベーションになるかもしれません。実のところ、それはあくまでもモノを追いかけているに過ぎません。孔子は自分の能力を世のため人のために活用することを優先した方がずっといいよ、と言っているのです。そのようにしているとマイホームや蓄財は、いつしか自分のものになっています。

そして、仕事は細やかな気配りを忘れず手際よく進め、言葉遣いはきれいで丁寧なのがよい、つまり欲を抑え、モノよりも善い心の働きを大事にするよう自己を律してはと言っているのです。

「江戸時代のさむらい」

「明を建国した洪武帝（1328〜1398）は「論語」を中心とした儒教を政治に活かしました。そして明の政権は約250年間続きました。これにならったかどうかわかりませんが、徳川家康（1542〜1616）も儒教を政治に活かしました。江戸時代も約250年間続きました。

儒教のテキストは「論語」をはじめとする「四書五経（54頁参照）」です。江戸時代、殿様をはじめ家臣のさむらいは必ずこれを学びました。儒教は人が生きていく上の基本ガイドになるものであり、それを実践す

ることが人としての誇りを持つことにつながったのです。

　「論語」を活かした政治は、もともと人に与えられている徳をもとにした民のための政治です。4代将軍家綱につかえた保科正之（1611〜1672）は、備蓄した米は飢饉のとき領民に分け与えよ、旅人が病に倒れたら手厚く看病せよなど人々への思いやりを第一にした政治を行いました。これを徳治政治といいます。

　5代将軍徳川綱吉（1646〜1709）は、さむらいへの「論語」の浸透を図りました。綱吉は、さむらいは武芸の鍛錬は怠らないようにしつつも自らを律して心を磨き、学問を修め、いつも徳と思いやりの心を表に出して民のよい見本になるようにと指導しました。

　思いやりの心を大事にするようにという意図で出した「生類憐れみの令」が一つには犬を大事にし過ぎるという状況をまねいてしまったことから、犬公方などと言われ評判が悪かったようです。しかし「論語」を人々に広く知らしめるようにしたのは綱吉でした。

　その後「論語」はさむらいだけではなく民も学び実践するようになりました。

　その時代の日本はどのようであったでしょう。

　日本のどの地域でも殿様やさむらいたちは、一汁二菜といった粗食を常としました（将軍でも、二汁三菜程度でした）。経済的に余裕がないというよりは、贅沢にならないよう自分を律したのです。食べるときは音を立てず、口にものが入っている時は、話をしませんでした。ましてや、かっこむ、すする、といった行儀の悪い食べ方は誰もしませんでした。将軍でさえ、あらたまった席でない限り絹でつくった衣類などを着ず、普段は綿の着物を着ていたといいます。そして住まいも部屋にあるのは趣味のいい掛け軸と花器くらいという簡素なものでした。その簡素な空

間には真の美しさと気品がありました。

　殿様やさむらいたちは、率先して自らを律し、民を思いやり、行儀やマナーを向上させるよう心がけました。民もこうした姿に見習い、自らを律し行儀やマナーを向上させました。

　8代将軍吉宗（1684〜1751）は、民の意見をよくきくため目安箱を設けました。殿様たちも民の意見をよくきき、よい意見はそれを政治に反映させました。殿様が間違ったことをしたら家臣のさむらいは殿様に意見しました。殿様は家臣の意見を嫌な顔をせずききました。それをしないのは恥でした。

　士農工商は身分制度ではなく単に職の種類を示すものでした。それは必ずしも世襲ではなく、適正があれば士、農、工、商、どの職にも移ることができました。

　また、もめ事は多くの場合当事者が話し合って解決しました。訴えがなされた時は奉行所の役人によって迅速に、身分によって左右されることもなく公正に裁定されました。

　明治政府は、江戸時代は封建制でダメな時代だった、という情報を広く世に流しました。しかし実際には江戸時代は封建体制とはいいながらもとても民主的だったのです。

　今日、映画やテレビの時代劇で、身分の高いさむらいが豪華な着物を着て威張っている場面があります。こんな場面を江戸時代のさむらいが見たら、きっと呆れるか大笑いすることでしょう」

儒学のテキスト

　孔子にはじまる、中国古来の政治・道徳の学を儒学といいます。儒学の教えを儒教といいます。そのテキストが「四書五経」です。四書は「論語」、「中庸（ちゅうよう）」、「孟子（もうし）」、「大学」です。五経は「易経（えききょう）」、「詩経（しきょう）」、「春（しゅん）

秋」、「礼記」、「書経」です。経は、ものごとの筋道や道理を示す書のことです。

　「論語」以外について、「四書五経」を、概略、説明いたします。「中庸」は、徳と誠の道を解説した書で、子恩（孔子の孫）の作と言われます。「孟子」は、孔子の没後、100年以上を経て活躍した思想家、孟子の言葉を集めた書です。「大学」は、誠意、正心、修身、治国などを説いた書です。「易経」は、陰と陽の二元で、天地間の万物を説明したものです。「詩経」は、紀元前10世紀から同6世紀の間の、周王朝の楽歌や民謡を集めたものです。「春秋」は、紀元前8世紀から同5世紀に至る年代記です。「礼記」は、周末から漢代に至る儒教を学ぶ者の古札を集めたものです。「書経」は、古代中国の政治史です。

（2）何が大事か、よく知っている

　「論語」には義という言葉がよく出てきます。義は、世の中で一番大事なことをすること、つまりは理にかなった人の道のことです。

　惑星は太陽の周りを一つの軌道を通って回っています。太陽と惑星は太陽系というまとまりをもって銀河の中を一定のスピードで運行しています。このように、どの星も一定の秩序と調和を保って宇宙空間の中を運行しています。

　また、星は寿命がくると爆発し、あるいは白色矮星になって消滅します。そしてまた新しい星が誕生します。これは宇宙の進化です。

　星の動きに見られる秩序と調和そして進化は、宇宙の理です。古代の中国では、人はこの宇宙の理に沿うことが人の道であり、

それが義であるとしていました。

「君子は義に喩り、小人は利に喩る」

『君子喩於義、小人喩於利』

〈善い心の働きを出す人は、いつも世のために一番大事なことをすることに喜びを感じます。一方、好ましくない心の働きを出す人は、自分が利益を得ることに喜びを感じます〉

{義は宇宙の理に沿った人の道を大事にすることをいいます。喩は、はっきりわかる、たとえる、楽しむ、喜ぶ、という意味です。ここでは喜ぶ、の意味になります。利は、すらりと運ぶ、利益、の意味があります。ここでは利益を得るという意味になります}

☆

　家庭では、お父さんやお母さんは働いて家族を守り子どもを世に役立つ人に育てるのが義です。部屋を心地よくするためにテーブルに花を一輪飾るのも義です。義を実践するのはこうした小さなことからでいいのです。

　学校では、先生はわかりやすく教え、公平に成績をつけるのが義です。生徒は素直に学ぶのが義です。先生と生徒は、あの学校で学んだと胸をはれるよう伝統をつくるのが義です。

　会社は、人々が必要とする品質のよいものを供給するのが義です。国や自治体のリーダーは、市民が安全に健康に心豊かに暮らすことができるよう、よい政治や行政を行うのが義です。

　お父さんやお母さん、先生、リーダーたち……、それぞれがそれぞれの立場で、自分の利益を追い求めず、自分が満足すること

だけを考えずに義を優先するなら、その人は立派な士と言えます。

「義を見て為さざるは勇無き也」

『見義不為、無勇也』

〈今行うべき一番大事なことがわかっているのに、それをしないのは、その人に気構えが無いということです〉

{為すは、行う、する、です。勇は気構えという意味です。為さざるを為ざる、と読む例もあります。勇には、何ごとも恐れずに勇ましく立ち向かう、という意味があります。孔子は蛮勇（向こう見ずに、ただ突進する）には反対でした。「論語」では勇を気構えの意味で使っている例が多いです。也が入っているので、そうだからね、と強く言っていることがわかります}

　いかなる場合も、その時点で世のため人のためになる一番大事なことを優先する、これが義です。かつてのさむらいは常に義を貫くことを旨としました。それは自らを潔くし誇りを持つもとでもありました。

　新入、転校、転部、家の引っ越し、親しい人とのお別れなど環境が変わったとき、何かと心配や不安、悲しみがあるものです。
　勉強やスポーツでの難しい課題、面倒な実験や、資料の作成……。これらをこなすのは生徒にとっては義です。それを乗り越えてやろうという気構えがあれば、これらは軽々と乗り越えられるでしょう。宇宙の神様は乗り越えられないものを与えることはありません。

ただし対人関係のもつれなどで、やっていることが人の道に反するものであったら、それは義ではありません。暴力をふるって言うことをきかせようとするなど、もっての他です。そんなものに耐えることはありません。

☆

　試験、スポーツの試合、プレゼンなどの時、よしやってやろう、という気構えがないと人の期待を大きく裏切ってしまいます。かつてのさむらいは、いざという時は、いかんなく力を発揮しました。気構えがあれば宇宙から尽きぬエネルギーをもらうことができるのです。

　ここ一番のとき、失敗したらどうしよう、恰好いいところを見せようなどと思うと、かえって緊張し、自分が持っている能力や力を十分に発揮できないことがあります。気構えがあってもそれが空回りすることがあるのです。そんな時は、何か他のことを思うことによって緊張を和らげることができます。

　例えば野球の試合で、この打者をアウトにしたら勝てるという時、投手はその打者をアウトにする力があっても、ヒットを打たれたら負けると思うと、緊張して持っている力を出せません。そ

んな時は、自分ならこれを乗り越えられる、と強く思うか、または、この試合が終わったら録画した映画を観る、など楽しいことを思うと、不思議に緊張がほぐれて投球に集中することができ、自分の力を発揮できます。

　ともあれ、たとえ失敗しても何かにトライすることは一つの経験になり、人生の糧（力をつけるもと）になります。

「人道を優先した杉原千畝」

　「第二次大戦中、リトアニアに赴任した外交官杉原千畝（1900〜1986）は、ドイツのナチによる迫害から逃れるため亡命を強く望むユダヤ人たちに日本の通過ビザを発給しました。

　日本の外交官がユダヤ人たちにビザを発給することは、当時同盟を結んでいたドイツに背く行為であり、日本国外務省の意向に反するものでした。

　しかし彼は断固、ユダヤ人を救済するため、ひたすらビザの発給を続けました。彼は毎日多くのビザを手書きしました。万年筆がこわれたら、ペンにインクをつけてビザを書き続けました。

　ベルリンへ異動することになり、旅立つ汽車に乗っても彼はビザを書き続け、それを車窓からユダヤ人たちに手渡しました。汽車が動きはじめた時、彼は「赦してください。もう書けません。皆様のご無事を祈っています」と言いました。

　杉原千畝が救ったユダヤ人は、6,000人を超えたといいます。

　人の命を救うのは、いかなる場合でも一番大事なことです。彼はその義を貫いたのです。

　この話は今日なおその時無事に生き延びたユダヤ人の子孫に語り継がれています」

（3）ゆったりしている

「君子は泰にして驕らず。小人は驕りて泰ならず」

『君子泰而不驕。小人驕而不泰』

〈善い心の働きを出す品格ある人は、おおらかで驕り高ぶることはありません。一方、好ましくない心の働きを出す人は自分より下と思う人を侮って見下します。全然大らかではありません〉

{泰は、おおらか、ゆったりしている、安らぎ、のことです。驕るは、自分は高い所にいて他より優れている、と思い上がることです。自分の能力や力を得意になって示す、という意味もあります。驕は、もともとは、ものを上から見下ろす背の高い馬という意味です}

☆

　あの人はケチだと言う人は、自分がケチなのです。あの人は疑い深い、と言う人は自分が疑い深いのです。人は自分の器量で人を観ます。そして人も、その人の器量でこちらを観ています。

　皆さんは人に厳しく自分に甘い？　よく言いわけする？　自分の長所をアピールする？　身だしなみは？　すぐイライラする？

　自分より劣っていると思っている人を侮る？

　自分が話すことや、やっていることは、実は自分の器量をそのまま人に示しているに他なりません。実力がない人ほど人を侮って見下します（これをダニングクルーガー効果といいます）。人を侮ると、逆にこの人はその程度の人かと思われてしまいます。

　年若の人や店員さんなどに上から目線で横柄にものを言う大人

を、よく見かけますが、そんな大人はとてもみっともないですね。

「君子は坦として蕩々たり。小人は長に戚々たり」

『君子坦蕩蕩。小人長戚戚』

〈善い心の働きを出す品格ある人は感情的になることがなく、ゆったりしています。一方、好ましくない心の働きを出す人は、いつもどんな小さなこともとても心配します〉

{坦は、感情の起伏がない、態度に裏表がない、という意味です。蕩々は、ゆったりしている様子、です。長は、長さ、かしら、優れているところ、いつも、などの意味があります。ここでは、いつも、の意味になります。戚は、思いわずらう、心配する、という意味です。身内という意味もあります}

　そんなことも知らないの？　そんなこともできないの？　それは間違っている！　それだからダメなんだよ！　などとこちらを否定する言い方をされると、つい怒りの感情がわいてきます。

　偉そうな態度で、ものを言われたり、プライドを傷つけられると、とても嫌な気分になります。よかれと思ってしたことに、あれこれケチをつけられると腹が立ちます。

　小人は思いやりの心を出さず、人を否定する心や人を見下す心を表に出して、人を怒らせたり嫌な気分にしがちです。そんな小人に怒りの感情で返すと、こちらが小人になってしまいます。

　ましてや、こみあげた怒りを抑えられず、それを爆発させて相手を傷つけたりすると取り返しがつかなくなります。そんなこと

で未来が無くなったら最悪ではありませんか。

☆

おだやかに、さりげなく気をつかい、周りの人が心地よくなるようにふるまうと君子になります。徳や思いやりの心を表に出すと、たちまち君子になるのです。そして、その人は品格があり人格が優れた人という印象を与えます。

一方、人を見下し自分勝手にふるまうと、たちまち小人になってしまいます。その人は器量がなくこせこせした人という印象を与えます。

「かつての日本という国の魅力」

「17世紀の終わり頃から19世紀の中頃まで、日本人はとても洗練された国民であったようです。

19世紀の中頃、欧州から日本を訪れたドイツの考古学者、ハインリッヒ・シュリーマンは「日本人のモラルの高さに驚いた」と言いました。英国の旅行家イザベラ・バードは「日本ほど女性でも危険な目や不作法な目にあわず、安心して旅ができる国はない」と言いました。フランスの外交官は「世界中の民族が滅んでも、日本人だけは残っていてもらいたい」と本国で報告しています。

★

この時代、さむらいや身分の高い人たちはもとより、人々は皆礼儀正しく、思いやりがあり、困っている人を進んで助けました。金持ちの商人たちは貧しい者を救うために町会所をつくり、飢饉や災害の時に困らないよう、約50万人の人が半年は食べられる量のお米を備蓄していました。また金持ちの商人たちは、競って、病人を治療する施設の維持、上水や下水の整備などに私財を投入しました。江戸っ子は宵越しの金を持たないと言いますが、それは金持ちの商人たちが長屋の家賃の足りな

い分を払っていたからです。

　誰もが大らかで伸びやか、素直で親切、そして優しくひかえめであったといいます。馬子や篭かきも、いつも無邪気で人なつこい笑顔を浮かべていたといいます。

　誰もが仕事や生活の場を心地よいものにするという、心の中の約束事を守っていたのです。これは都市や国を持続発展させるおおもとになります。

　日本のどの地域でも美しい自然を守っていました。江戸の町は運河をめぐらし、また手入れが行き届いた生け垣や刈り込みを配置した美しい公園都市でした。地方の農村では庭に花を植えるなどして人々の心を癒す空間をつくっていました。

　人家が密集するようなところも清潔で、野卑（下品）なところが無く、犯罪はありませんでした。どの家も戸締まりをせず、家を空けていて誰も心配しませんでした。

　子どもたちは虐待されることなど無く、平和と温かさに包まれて育ちました。大人たちは男も女も口汚くののしる声や喧嘩、暴力がありませんでした。子どもたちはごく自然に、小さい時から礼儀と作法が身につき、甘やかされてダメになるということはありませんでした。そしてどの子も能力が伸ばされました。

　大工や身の回りのものを造る職人たちは、いつも心地よい緊張感をもって仕事に取り組みました。品質が悪いものを世に出すと、誰も見向きもしませんでした。今のJIS規格のような品質基準は全然必要ありませんでした。

　そして、品質がよいだけではなく格調が高い芸術的な価値があるものを世に出していました。彼らは優れたものを造って人から褒められても、

決して驕ることがありませんでした。

　この時代の日本は秩序と調和が保たれ、食糧の完全自給、ちり紙まで再生する資源の有効利用が行われました。何よりも子どもの頃から藩校や寺子屋で「四書五経」などを学ぶことによって高い識字率と深い教養を身につけていました。また高い技術力があり、漆や陶器など地域での産業の振興がはかられました。浮世絵などをはじめとする絢爛たる芸術は世界の芸術に大きな影響を与えました。

　このような社会をつくること、そしてその中で生きることは、人々にとって誇りでもありました。

　このように日本はとても心地よく立派な国でした。この背景として、誰もが「論語」を学んでいたことが上げられます。

　しかし明治元年(1868)に、明治政府によって出された「神仏習合禁止令」がもとで「論語」を教えることが禁止されてしまいました。日本人に、いわば背骨を入れる教育がこの時からなされなくなってしまったのです」

― 第4章に関連する他の「論語」 ―

「士にして居を懐うは、以て士と為すに足らず」

『士而懐居、不足以為士矣』

〈成人した男性なのに、家や蓄財のことばかり思っているようでは、とても独り立ちした立派な人とは言えません〉

「切々偲々、怡々如くたれば、士と謂うべし」

『切切偲偲、怡怡如也、可謂士矣』

〈ひたすら努力して世に尽くし、人を温かく励まし、人の心を和ませるようなら、独り立ちした立派な人と言えます〉

「君子の徳は風なり、小人の徳は草なり」

『君子之徳風。小人之徳草』

〈善い心の働きを出す品格ある人には、その人柄から発して人を動かすものがあります。一方、器量が無くこせこせした人の親切な態度や気遣いは上辺の見せかけなのです〉

第5章

なぜ勉強しなければならないの?

　平和で幸せに暮らせる世をつくることは、いつの時代もすべての人々に与えられた課題です。その課題を成し遂げるためには、私たち一人ひとりが必要な知識を持ち、自ら思索し、ものごとの本質を見通す力を身につけ、世に役立つことをする人になることです。このために私たちは勉強するのです。

　勉強することによって何が正しいかわかります。何が間違っていて、自分は何をすべきかわかります。

　誰もが、やれば何かできるのです。持てる力に強弱はあるでしょうが、誰もが何かをやり遂げる力を持っているのです。勉強することによって、自分の中に眠っている力を見つけることもできるでしょう。

　品性を高めるために感性を磨き、自分の弱さを克服する、これも勉強の目的です。

　この章では、その勉強について孔子が何と言っているかお話しいたします。

（1）自分の持ち味をみつける

「君子は博く文を学ぶ」

『君子博学於文』

〈善い心の働きを出す人は、幅広く本を読んで教養を深めます〉

{博は、ひろく、です。文は、きれいな模様や外面をかざること、文字や文章、文化や教養をいいます。学は、先生や大人たちから知識や知恵をさずかることです}

☆

　学校の勉強以外に何か本を読んでみませんか。あるいは何か技芸を学んでみませんか。とても世界がひらけます。

　えっ、こんなこともあるんだ、あっそうか、そういうことだったのかなど、たくさん腑に落ちることが見つかります。

　本を読むのは宇宙にある意識のクラウドとのやり取りに他なりません。やり取りすればするほど、意識のクラウドにアクセスしやすくなるので、情報をさらに多く得ることができます。

☆

　ところで、学校の勉強ではどの科目でも、何か一つ問題が解けるとすごく気分がよくなります。気分がよくなるのは宇宙にある意識のクラウドとのやり取りがうまくいった証しです。そうなると他の科目もよく解けるようになります。そして何ごとにも挑戦したくなります。意識のクラウドとやり取りするほど学習能力が高まり、知力が大幅に増します。つまり頭が良くなるのです。

　より広くいろいろな本をもとに自ら学ぶことがお薦めです。歴史書や宇宙の本などうってつけかも。

☆

　そうして自分を少しずつ高めていくようにする、それはどんな困難がある時でも正しい道を進めるようになる、またものごとの本質がみえるようになる、最初のステップでもあるのです。

幅広く学ぶー "リベラル・アーツ"

　「ヨーロッパでは、中世以降、20世紀の初頭まで、文法学、修辞学、論理学、算術、幾何学、天文学、音楽の7科目は、人が学ぶ基本とみなされていました。これをリベラル・アーツといいました。今日では、リベラル・アーツ教育は幅広く教養を身につけることをいいます。

　一つの専門によらず、いろいろな分野の知識を身につけることによって、より理解力が高まり、自分の持ち味が何かわかり、自信がつき社会で広く活躍できる素地がつくられます。

　社会はさまざまな問題を抱えています。そこには正解がありません。国際間では民族も宗教も異なる人たちが自分の考えこそが正しいと主張し合います。そんな中で、いかに人々が共存し得るか自分で考え、判断することが求められます。そのために、いろいろな知識を身につけておく必要があるのです」

「之を知る者は、之を好む者に如かず。之を好む者は、之を楽しむ者に如かず」

『知之者、不如好之者。好之者、不如楽之者』

〈どんな分野であれ、それを学んで記憶しているだけという人は、それを大切に学ぶ人にはかないません。それを大切に学ぶ人は、それを学んで心がうきうきする人にはかないません〉

{知る、は記憶している、見抜くという意味です。**好**は、よい、大切にする、このみ、という意味です。**楽**は、心がうきうきする、喜んでとけこむという意味です。**如**は、〜と同じくらい、〜のようにする、です。ここでは**不如**なので、〜と同じではない、かなわない、という意味になります}

　心がうきうきする分野を見つけ、その道を進むのが自分を世に活かす一番いい方法ですよ、と孔子は言っています。

　自分が選んだ道を進んでいると、必要な能力は自然に身につきます。もともとそれに合う能力があるからその道を選んでいるのです。

　一番自分らしくしていられる場所で盛大に輝く！　これです。

　皆さん、小さい頃大きくなったらこんな仕事をしたいと思ったことはありませんか？　学校の先生、芸能人、スポーツの選手、研究者、医師、実業家、政治家……。思っただけで心がうきうきするようなら、それは自分の仕事にできます。心がうきうきするのは、意識のクラウドからの、それはいいね、というサインなのです。

　その仕事に必要な知識を得るにしても、楽しい勉強ならやる気もでます。上達も早いでしょう。

「江戸時代の人々の算術熱」

　「1627年に出版された『塵劫記』は、そろばんの使い方や利息の計算法などが書かれた算術の実用書で、当時のベストセラーでした。

　その時代、誰もが算術に興味を持っていました。難問を絵馬（算額）に書いて神社や寺に掲げると、それを見た武士も民も、いち早くその難問を解いて回答を絵馬に書き、それを問題が掲げられていたところに掲げる、そんな競争が大流行したといいます。

　人々の算術熱はすざましく、八百屋や魚屋のおかみさんたちも扇の中に描かれた円の面積を簡単に計算できたといいます。

　子どもたちは、そろばん、折り紙、習字で知能を向上させました。

　関孝和（生年不詳～1708）は円周率を求め、また高次方程式の一般解を見つけました。

　伊能忠敬（1745～1818）は全国を歩いて測量し、精緻な日本地図を作りました。彼は、自分の位置と星の位置との関係をもとにした距離計算や、三角関数の早見表を用いた土地の高低差の計算など、算術の知識をベースにしていたのです。

　日本の数学は江戸時代、世界のトップレベルでした。そうした素地があったから、明治になって西欧から自然科学が入ってきても、それを苦もなく受け入れることができたのです」

（2）ひとりよがりは禁物

「学は則ち固にせず」

『学則不固』

〈自分が学んだことだけが正しいと思い込んではいけません〉

{**学**は、先生や大人から知識や知恵をさずかることです。**則**ちは、〜（ならば）すなわち……、です。**固**は、かたくなで融通がきかないことです。**不固**なので、柔軟に構える、になります。ここでは、思い込んではいけないという意味になります}

　　自分の考えや価値観を唯一絶対のものとしてはいけない、と孔子はさとしています。自分が習ったことや読んだことを絶対のものとし、それからはずれているものを認めたがらない人は多いです。でも、それでは他の世界を知らず、ともすれば高慢な人になってしまいます。

　　この世にいる人はいろいろな考えを持っています。自分の考えや価値観だけを正しいとし、それ以外は間違っているとは言えないのです。何にせよ他の説にも向かい合ってみることです。そうすることによって何らかの気づきがあるでしょう。

　　明治以降、江戸時代は封建制で身分制度が厳しく、民には自由が無かったと習うようになりました。しかし、いろいろな本を読むと、江戸時代は、実は民に対する思いやりを主にした徳治政治が行われ、今よりもずっと民主的で、皆がのびのび明るく暮らしていた時代であったことがわかります。

　　この気づきが腑に落ちるなら、それまで自分が習って思い込んでいた江戸時代の姿は違っていたことになります。これが勉強です。

「異端を攻むるは、害のみ」

『攻乎異端、其害也已』

〈大多数の人が違和感を抱く正統でないものを深く身につけてしまうのは、自分にとってさまたげになるだけです〉

{**異端**は、大多数の人が違和感を抱く正統でないもののことです。**攻**は、深く身につける、専門的な知識や技術を身につける、という意味です。**其**は、それ、そもそも、です。**害**は、禍、損なう、成長を止める、命を止める、さまたげ、という意味があります。ここでは、さまたげ、になります。**已**は、のみ、と訳します}

☆

　剣道や柔道には型があります。歌舞伎には歌舞伎の型があります。スポーツにせよ学芸にせよ、すべてのものに基本の型があります。まずは、その型を学ぶことが基本です。

　日本の伝統技芸の型を受け継ぎ、また後世に残すことは私たちの使命です。こうした原点を継承していくのも勉強です。

　型破りのことをやりたいなどと言って、その型を学ばないでいると、結局はその型をもとにしたものを超えることはできません。

　自分なりに学ぶのは結構ですが、まずは型の基本つまりそれぞれの学問やスポーツ、ものづくり、芸術の基本から勉強する必要があるのです。その基本は先生や先輩から教わるしかありません。型破りのことを考えるのは、その基本を身につけてからです。

「高校生の自己評価」

「独立行政法人・国立青少年教育振興機構による、日本の高校生の自己評価にかかわる調査(2017年)で、次のことがわかりました。

　他の人と協力できる人は71パーセント、つらいことを乗り越えられる人は69パーセントです。(アメリカの高校生は、他の人と協力できる人は89パーセント、つらいことを乗り越えられる人は90パーセントです)一方、自分を価値ある存在と思っている人は45パーセント、自分に満足している人は42パーセントです。(アメリカの高校生は、自分を価値ある存在と思っている人は83パーセント、自分に満足している人は76パーセントです)

　この調査によれば、日本の高校生の多くは自分を過小評価しているようです。自分を過小評価すると、のびるものがのびず、自分が持っているよいものが生かされません。自分を生かすには、自分を高めたい気持ち、そして将来の希望を忘れないようにすることです。

　皆さん、10年後の自分の履歴書を書いてみませんか。そこに将来やりたい仕事、進学したい大学、勤めたい職場など、自分の希望を正直に書いてください。社会に役立つ颯爽とした自分の姿を想像して、しっかり書いてください。そして机の中にしまってください。

　その未来の履歴書は宇宙にある意識のクラウドにしっかり登録されます。登録されたものは必ず実現に向かいます」

（3）誰もがなれる、本当のエリート

「賢を見ては斎からんことを思い、不賢を見ては自ら内を省みる」

『見賢思斎焉。見不賢而内自省也』

〈才知があり徳がある人を見たら、自分も同じようになりたいと思い、その反対の人を見たら、自分の中に間違っているところがあるか細かに振り返ってみます〉

{賢は、才知や徳がある人、つまり賢人のことです。斎は、ととのう、等しい、という意味です。省は、注意して見る、自分を細かに振り返って見る、はぶく、という意味があります。ここでは、自分を細かに振り返って見る、になります。省には、役所という意味もあります}

☆

　皆さんは人に何かしてもらうより、してあげる方に喜びを感じますか?　電気をつけっぱなしにしないようにしていますか?家事の手伝いをしますか?　兄弟や年下の子の面倒をみますか?

　人の悪口を言いませんか?人の長所をほめますか?　嘘をつきませんか?

　これらの問いの回答に、はい、が幾つもある人は日常の一瞬一瞬で周りの人をなごませ、にっこりさせ、元気にする人です。

　周りの人がにっこり微笑み、癒され、元気になる人、そして話を聴いて一つでも参考にできるところがあり、得をした気分にさせてくれる人は、才知と徳がある賢人です。

☆

　賢人は自分の役割を心得ています。賢人は日々教養を深めています。困っている人がいたら人の痛みや苦痛を思いやる心をすぐに出します。平和と秩序を大事にして筋を通します。そして感謝する心、進化向上を図る意欲を持っています。

　つまり、賢人は教養を深め善い心の働きを出すことで、人をな

ごませ元気にし、また得をした気分にさせるのです。これが本当のエリートです。

☆

　一般にエリートというと、有名な学校を出て社会の指導的な立場にいる人を思い浮かべます。しかしいくら有名な学校を出て社会の指導的な立場に立っているとしても、その人の存在によって周りの人の笑顔が消え、気分が滅入るようであれば、その人は全然エリートではありません。

　本当のエリートは人をなごませ、人を元気にし、人を向上させる人なのです。賢人に学んで教養を深め、日常の一瞬一瞬で善い心の働きを出すようにすることによって、誰もが本当のエリートになれます。

☆

「汎く衆を愛して仁に親づく」

『汎愛衆而親仁』

〈誰に対しても分け隔てなく思いやりの心を出すならば、その人は理想的な人と言われるようになります〉

{汎は、水面が広がっているさまを表す字で広くという意味です。衆は、おおぜいの人、ふつうの人のことです。愛は、人を慈しみ、思いやり、世話をするという意味です。仁は、ここでは理想的な人という意味になります。親は、したしむ、近い、父母、身近な身内のことですが、ここでは近い、の意味で訳します}

☆

　孔子の時代、本当のエリートは水のように心静かに行動すると

76

言われていました。

　人はもともと心静かに行動し、他を思いやる心を持ち、大きな力を秘めています。そうした、人がもともと持っているものに気づき、常にそれを見失わないようにすることが、実は学習能力を高め、仕事をきちんとするもとになるのです。人生を全うするもとになるのです。これが知性です。

　勉強という言葉そのものは、つらいことも精を出して務める、そして経験を積む、を意味します。実は勉強の第一の目的は、本当のエリートになるよう心を磨くことにあるのです。

「ボランティア活動」

　「首都圏のある学校のお話です。生徒たちがボランティア活動で地震と津波で被災した地域に行きました。親の庇護のもとで、日頃特段の心配もなく勉強できる環境にいて、生きる意味など考えたこともなかった生徒たちは、被災地であまりに惨い光景を見て大きな衝撃を受け、心から被災した人たちを助けてあげたい、と思ったそうです。

★

ボランティア活動をしている間に、生徒たちは社会生活を営んでいる以上人とのかかわりは避けられない、人の世話をすることが幸せをつかむもとなどの意識が芽生えたといいます。

人のためになることが生きる意味である、とわかったのは、生徒たちにとって大きな発見でした。そして生徒たちは社会を背負う気になって東京に帰ってきたといいます。

生徒たちは、まさにエリートへの道を歩き始めたのです。

ボランティア活動は人格を磨く上で基本的な勉強になります。アメリカのある有力大学では入学試験の時、どのくらいボランティア活動をしたか必ずチェックするといいます」

— 第5章に関連する他の「論語」—

「子、四つを教う。文、行、忠、信なり」

『子以四教。文行忠信』

〈孔子は次の四つが大切であると教えました。それは①いろいろな本を読んで教養を深めること、②徳を実践すること、③ものごとに誠実に対応すること、④人から信用されるようにすること、です〉

「学は及ばざるが如くする。なお之を失なわんことを恐る」

『学如不及。猶恐失之』

〈何ごとにつけ、自分はまだまだという気持ちで勉強することです。そしてその気持ちを失わないようにすることです〉

「古の人は己の為に学ぶ。今の人は人の為に学ぶ」

『古之学者為己。今之学者為人』

〈昔の人は自分を高めるために学んだものです。今の人は、自分は多くの知識を持っている、よい地位にいる、など他人からちやほやされたいために学びます〉

第6章

私たちは何らかのチームに属している

　私たちは、地球という星にいます。地球は太陽系に属しています。太陽系は天の川銀河の中にあります。天の川銀河は宇宙の中にあります（天の川銀河は宇宙全体に何千億もある銀河の一つです）。

　さて、共同で活動する一団をチームといいます。私たちがいる地球、太陽系、天の川銀河をそれぞれチームに喩えると、地球チーム、太陽系チーム、天の川銀河チームということになります。

　このようにチームわけをすると、私たちがいるこの世には、家庭チーム、会社チーム、地域社会や国チームがあることになります。私たち一人ひとりは、これらのチームのどれか、またはそのすべてに属しています。

　この章では、それぞれのチームは、どのようにしたら良いチームになるか、孔子の言葉をもとに見てみましょう。

（1）家庭

　いつの時代も家族チームに望まれるのは、メンバーの一人ひとりが穏やかで心豊かに心地よく暮らせ、一人ひとりがヴァイタリティ（生命力、生存力）を発揮できるよう英気を養う場であることでしょう。

☆

「父母の年は、知らざるべからず」

『父母之年、不可不知也』

〈お父さんとお母さんの年齢を知らない、というのはダメですよ〉

{**年**は年齢のことです。**不可～**は、～はダメということです。**不知**は、知らない、ということです。原文は不可不知となっていますから、知らないというのはダメということになります。**也**があるので、そうだからねと強調していることがわかります}

☆

　孔子は、わざわざお父さんお母さんの年齢を知らないのはダメですよと念を押しています。なぜでしょう？

　誰もが心の底では笑顔や優しさ、思いやりで満たされる家庭であることを望んでいます。そのおおもとは家族間の良好なコミュニケーションにあります。そして、お父さんお母さんと何でも話し合うことが、家庭というチームで皆が親しみ合うもと、連帯感を増すもとなのです。

　まずはお父さんやお母さんの年齢を忘れないこと、というわけです。お父さんお母さんの誕生日に、小さなものでいいからプレゼントしてみては。または一行でもいいから手紙を書いてみては。

☆

「君子は諸を己に求め、小人は諸を人に求む」

『君子求諸己、小人求諸人』

〈善い心の働きを出す品格ある人は、間違いや失敗は自分が至らなかったためと考えます。好ましくない心の働きを出す人は、とかく間違いや失敗を人のせいにします〉

{諸は、これ、さまざまな、という意味です。ここでは字の読みのままに、これ、と訳します。己は自分のことです。求は、もとめる、自分のものにするという意味です}

☆

　皆さん、自分の都合が悪いことを家族の誰かのせいにすることはありませんか？　テストの点が悪かったのは勉強が十分にできなかったから、それは妹がテレビをつけていたから……。

　テレビがついていたので勉強できなかったというのは、勉強に

集中していなかったためではないでしょうか。テレビがついているリビングルームでも集中して勉強し、成績が飛び抜けて良いという人はたくさんいます。

　リビングルームで勉強する話はともかく、とかく自分の不都合を人のせいにするのは自立していない証拠です。

☆

　では、自立している人というのは一体どんな人なのでしょう？

　自立している人は周りの環境や人の意見に左右されることはありません。人の目を気にしません。と言って自分勝手ではありません。気に入らないことがあっても、とりあえずは自分を抑え、文句を言ったりしません。また、自分を憐れむことがなく、労力を厭うこともありません。そして自己弁護することがありません。他の家族を羨ましく思うこともありません。人を批判したり、媚びることはありません。うまくいかないことがあっても、人のせいにすることがなく、少しのことでくじけたり、やる気を失うことはありません。嫌なことを言われてもすぐに忘れます……。

　どうですか？　皆さんは、この中のいくつが自分に当てはまりますか？　若いうちは三つ以上当てはまっていたら、かなり自立していると言えるかも。

　自立すると宇宙からエネルギーをたくさんもらえ、ヴァイタリティが旺盛になります。そして、勉強や仕事がとてもよくできるようになります。

　家の中で何でも人のせいにするのをやめるようにしたら？　きっと、外でも自分の不都合を人のせいにしなくなります。

　ところで、親兄弟でいがみ合う家族があります。子を自分の思い通りにしたいために子を叱る親がいます。自分のイライラを子にぶつける親もいます。自分の価値観を押しつける親もいます。

逆に親を支配して自分の言いなりにしようとする子もいます。

　個々の家族チームは社会の礎です。心地よく暮らせる家族チームが多いほど心地よい社会になります。親兄弟がいがみ合う家族チームが増えると社会がガタガタになります。

　いがみ合っていても、家族チームのメンバーの心底には必ず反省があるはずです。だったら家族チームが心地よくなるよう、思いやりの心を出し合ってみては。

「ペップトーク」

　「皆さん、ペップトークって知っていますか？　ペップは元気、活力、気力という意味です。ペップトークはもともとはスポーツの大会などで監督やコーチが、緊張している選手を前向きの言葉で元気づけるものです。

　試合の前に監督やコーチが、あれをしてはいけない、これをしてはいけないなどと言うと、選手はよけいに緊張します。

　ペップトークはスポーツ以外にも、いろいろなところで使われています。実は家庭チームでこそ、ペップトークがお勧めです。

★

　勉強しなさい、ゲームはダメよと言う親は多いです。ゲームをしてはいけないと言うと、さらにゲームをするようになります。勉強しなさいと言うと、勉強する気分をそいでしまいます。

　子どもは、自分はどうしたらよいかよくわかっています。ダメは禁句なのです。そこでペップトークです。

　例えば、親は子に勉強しなさいと言わずに、たとえ勉強していなくても頑張っているようだねと言います。試験の前や発表会などの前、あるいは重要な仕事の前などで、失敗したらどうしようと心配し緊張している子に、あなたなら大丈夫と元気づけます。

　さぼるなと言うより、しっかりやろうと言います。ぼおっとするなと

言うより、集中しようと言います。気が弱いからダメなんだと言うより、芯はしっかりしているし繊細で優しいからいいよと言った方がいいのです。反対に、子は親に、お父さんお母さんなら何をやっても大丈夫、と元気づけます。

親が子に、子が親に、共通してですが、そんなことできっこないと言うよりは、へえー、すごい望みがあるんだね、しっかり頑張ってね、うまく行くのが楽しみだと言うのです。

家庭というチーム内では、それぞれが互いに思いやりの心を出して夢の実現や目標の達成を応援する人、つまりドリームサポーターになるのがいいのです。それは決して甘やかしではありません。

心を込めた前向きの言葉をかけ続けることによって、その人は必ず期待に応えてくれるようになります（これをピグマリオン効果といいます）。一日に一度、いや、せめて一週間に一度はペップトークをしてみてください。

ペップトークは一人でもできます。うまくいった時の自分の姿を思い描いてみるのです。そうすることによって自分の意識がよい方向に、ぐーんと向きます。そして思い描いていた自分が実現するのです。これはスポーツの世界や舞台芸術の世界などで、イメージトレーニングとしてよく行われています。一人でペップトークしてみませんか」

（2）会社

皆さんは、いずれ何らかの仕事をすることでしょう。会社、お役所、団体、学校……、いろいろなところで働くと思いますが、ここでは皆さんが仕事をする場所をとりあえず会社としておきますね。

　よい会社は顧客（こきゃく）が多くなるので業績が上り長い年数存続し続けます。太陽系というチームに太陽がいるように、チームにはリーダーが必要です。よい会社には、リーダーとして、よい経営者、よい部長、よい課長、よい係長がいるものです。

　皆さんも将来リーダーになることでしょう。その時の参考に、よいリーダーとはどんな人か、孔子の言葉をもとに見てみましょう。よいリーダーの姿は、学校の部活やサークル、趣味の会その他、人が集まるところは、どこでも共通しています。

☆

「君子は周（しゅう）して比（ひ）せず。小人は比（ひ）して周（しゅう）せず」

『君子周而不比、小人比而不周』

〈よいリーダーは、いろいろな人と公平に交わります。自分のお気に入りの人とだけ親しみ合うということはありません。器量がなくこせこせした人は、自分のお気に入りの人とは親しみ合いますが、いろいろな人と公平に交わることはありません〉

{**君子**は、ここでは、上に立つ人、よいリーダー、のことです。**周**（しゅう）は、あまねく公平に人と接する、という意味です。**小人**は、器量がなくこせこせした人のことです。**比**（ひ）は、特定の仲間とだけ親しみあうという意味です}

☆

　よいリーダーは、会社が何のために存在しているか、どんな経営をする会社か、その基本的なところ（経営理念）を社員はもとより一般の人にもわかるようにきちんと示します。

　リーダーは単に売り上げを増やすよりも、世の人々の生活を豊かにするために、よりよいものを提供することを真剣に考えます。

目先の儲けを考えている会社、得することばかり考えている会社は、いずれ衰退します。儲けることよりも人々が喜んでくれるものを誠実に提供し続ける方が実は利益が上がり会社が成長し、長続きするのです。売って喜び、買った人が喜ぶ、人々が喜ぶことをやるのが会社の仕事なのです。よいものを提供しないなら会社が存在する意味はありません。

　そしてよいリーダーは、社員間の協力体制をうまくつくります。それによって、生産部門と営業部門が諍う（お互いに相手の言うことを否定しあう）など、社内のいざこざがなくなります。

　会社には何人もの社員がいます。社員によって仕事の内容は異なります。仕事への取り組む姿勢や能力の違いもあります。出世欲や金銭欲にも差があります。また社員同士の相性もさまざまです。社員によっては不平や不満もあるでしょう。

　そのような中で業績を上げなければなりません。よいリーダーはそのために、個々の社員の能力を高め、社員間で相互に協力体制をとれるよう努めます。チームの強さは、個々の社員のやる気と社員間の結束力にかかっているのです。

☆

　社員間の協力体制をつくるために、よいリーダーは各部、各課の人、年上や年下の人、掃除する人、食堂の人などいろいろな人と広く接します。そしてさまざまな意見を集め、それを経営に生かします。

　誰にも限界はあります。過ちもあるでしょう。よいリーダーは、少々嫌なことがあっても自分の感情では怒らず、社員を理解し共感し合えるところを探します。前向きの思いがすべてを向上させるのです。

　特定の仲間とだけ親しみ合っているようでは、なかなか協力体

制をつくることはできません。

「君子は言に訥にして、行に敏ならんことを欲す

『君子欲訥於言、而敏於行』

〈よいリーダーは、弁舌巧みに言葉を出すより、下の人に細やか
に気配りし、きびきびと素早く仕事をしたいと思っています〉

{**君子**は、上に立つ人、よいリーダー、をいいます。**欲**は、望む、〜したい
と思う、です。**言**は、話す、ものの言い方、のことです。**訥**は、話し方がな
めらかではない、という意味です。**敏**は、行動がきびきびして早い、細やか
に気配りするという意味です}

　よいリーダーは弁舌よりも仕事に取り組む熱意と気配りを優先
するものだ、と孔子は言っているのですね。

　リーダーに熱意がないと社員はついてきません。社員に伝える
のは、こんな会社にしよう、こんな仕事をしよう、というリーダー
の強い思いです。それが会社を発展させるもとになるのです。

　知らないことや能力が足りないところは、周りの人でカバーで
きます。しかし熱意はカバーできません。一方、いくら熱意があ
ってもひとりよがりになったり、自慢話をしたり、下の人を馬鹿
にしたり、怒鳴りつけたり、ではリーダー失格です。

　よいリーダーは、社員一人ひとりが持ち味を発揮し、張り切っ
て働けるよう、取り組むべき課題をどこまでも追究します。技能
に優れる社員には仕事を任せます。

社員は失敗しながら成長します。よいリーダーはその失敗を共有します。何よりも、よいリーダーは下の人の意見をよく聴きます。

　リーダーが指示は出すものの、あれだめ、これだめ、と言っていると、社員は自己抑制のかたまりのようになってしまい、指示を待つだけの存在になり、活き活きと活動できなくなります。しかも、社員は生命の躍動感がどのようなものか知らないままです。

　これでは人材は育ちません。人材を育てない会社はつぶれてしまいます。よいリーダーは一人ひとりの社員に、世によりよいものを提供するために自分が何をできるか考えさせ、創造的で活力ある社員になるよう導きます。

（3）地域社会、国

　地域社会や国レベルになると、それはもう、とても広いところに何百万人もいる超巨大チームということになります。

　孔子がひときわ熱心に説いたのは、そのチームのリーダーがどのように運営したら、その巨大チームが善いチームになるかということでした。ここでは、その巨大なチームのリーダーに考えてもらいたいことを、孔子の言葉をもとにお話しいたします。皆さんも、是非、参考にしてくださいね。

「之を導くに政を以てし、之を斎うるに刑を以てすれば、民免かれるを恥じること無し。之を導くに徳を以ってし、之を斎うるに礼を以ってすれば、恥じること有りて且つ格る」

『道之以政、斎之以刑、民免而無恥、道之以徳、斎之
　以礼、有恥且格』

〈細かい定めや規制で人々を支配し、世の秩序を保つために刑罰
を用いると、人々はずるいことをしたり、ごまかしたり、言い訳
をして、それから逃れようとします。逃れても人々は何ら恥じる
ことはありません。一方、人々への思いやりを第一にして世を治
め、人々の礼儀や善い行いによって世の秩序を保つようにすると、
人々はずるいことやごまかし、言い訳を恥ずかしく思うようにな
り、過ちをしなくなります〉

{之は、人の世のことです。道は、ある方向に導く、の意味です。政は、こ
こでは、決まりや国を治める定め、規制の意味になります。以は、〜を用い
て、です。斎は、世の秩序を保つ、という意味です。刑は、刑罰のことです。
民は、市民、国民です。免は、逃れる、です。恥は、きまりが悪い、はずか
しく思う、です。徳は、愛や善い心の働きを出すことです。礼は、礼儀や
心づかい、のことです。格は、硬い芯、物事を制限する決まり、過ちを正す、
という意味があります。ここでは、過ちを正す、の意味で訳します}

☆

　孔子は、細かい定めや規制、そして刑罰によって人々を押さ
えつけるよりも、徳や礼をもって世を治める（徳治政治）方が、
人々から感謝されよく従ってくれるので、ずっといいと言ってい
ます。
　これに反対したのが、孔子とほぼ同時代の思想家、墨子でした。
墨子は、そんな理想論を言ってもはじまらない。誠実になすべき
ことをしたら賞がもらえ、悪行は厳しく罰せられるなど、善悪を
はっきり判断できる制度を作るのがいいと言いました。しかし、

それでは賞をねらう人や罰を逃れようとする人が増えるだけです。制度に乗じて腐敗のもとになる利権が発生するかもしれません。

　今日、利益を追い、気分や感情のままに行動する人がとても多くなっています。世界的にも争いが絶えず、秩序が乱れる傾向があります。

　孔子が活躍したのは戦乱の時代です。今日とは比較できないくらい争いや悪行が日常化し、世が乱れきっていたことでしょう。そのような中で孔子は、世に秩序をもたらす最善の方法を見いだしていました。それは人々がもともともっている徳の心を出し、礼儀を守るということでした。

　おはよう、こんにちは、などの挨拶を欠かさない、何かしてもらったら、必ずお礼を言う、誰にでもていねいな言葉を使う……。こんなちょっとした気配りが人を和ませるのです。これが礼です。

　人を押しのけて進むタイプの人が礼を欠いていると、周りの人は少しも落ち着きません。実直すぎて堅苦しい人が礼を欠いていると、周りの人はとても窮屈な思いをします。

　孔子は、自分自身が地方の長であった経験からも、礼はぎすぎすした世の潤滑油であり、一人ひとりの礼が世に平和と秩序をもたらすことを悟っていたのですね。これが "礼は徳の則（礼は徳を守るもと）" と言われる所以です。

「　政を為すに徳を以てすれば、たとえば、北辰が其の所に居て、衆星の之に共するが如し」

『為政以徳、譬如北辰居其所、而衆星共之』

〈人々への思いやりをもとに政治を行えば、たとえば北極星の周りをたくさんの星がいっせいに回るように、世は秩序と調和を保って治まります〉

{**政**は、ここでは政治のことです。政治は人々の利害や意見の相違を調整して皆が平和で安全に心豊かに暮らせる世をつくる活動をいいます。**徳**は愛や善い心の働きを出すことです。**以**は、用いる、です。**北辰**は北極星のことです。**其**の**所**は、北極星の場所を意味します。**居**は、いる、です。**衆星**はたくさんの星のことです。**之**は北極星を指します。**共**は、一緒に、です。**如**しは、〜のように、です}

☆

　地域社会や国という超巨大チームのリーダーは、社会情勢の複雑さを理解し、また他の地域社会や国のリーダーたちの思惑を見抜く眼を持っていなければなりません。そして人々の意見をよく聴かなければなりません。そうした上で、世界全体の平和と進化のために徳の心を出して政治をすることが求められます。

　孔子は、徳治政治を行えば、すべての人がこぞってその政治を維持し、それをより高めるように動く、と言っています。

　独裁政権が武力や経済力で強引に覇権を握ろうとしても、世界はそれを認めません。

　このことは地域と時代を超え、変わることはないでしょう。

　過去の政治のあり方を素直に見れば、徳治政治がいかに有効かよくわかります。

　今日、人々はあまりにもこの世で宇宙の理とはまったく異なる物質的な世界観や価値観にひたっていて、徳や礼が物質よりもず

っと大事であることに気がついていないようです。

☆

　ともすれば、私たちは地域社会や国というチームにいることを忘れがちです。そのチームの姿は、実は国民一人ひとりの姿が表れたものなのです。国というチームをつくっているおおもとは、実は私たち一人ひとりであることを忘れてはならないでしょう。

　孔子より約100年後の思想家で、孔子の教えを大事にした孟子は、「不仁が国を滅ぼす」と言いました。私たち一人ひとりが少しずつでいいから、日々の生き方を悪しき慣習から抜け出し、徳や礼を主にするよう改めることが、よい地域社会や国をつくる早道なのです。

☆

　会社というチームがうまくいかない時、それを支えるのは社員です。地域社会や国という超巨大チームが傾いた時、それを支えるのは私たち一人ひとりなのです。

　地域社会や国という超巨大チームの主権は、実は私たち一人ひ

とりに与えられているのです。18歳になると選挙権が与えられます。超巨大チームのリーダーを選ぶ力が与えられるのです。

　私たちは、この超巨大チームの姿をよりよいものに変える、とても大きな存在であることを忘れてはならないでしょう。

「日本には、他では得られないものがある」

　「2011年3月11日、東北地方を襲った大きな地震と津波は大きな被害をもたらしました。被災した人たちを救うため、食糧や衣類、水が配られました。人々は、整然とそれらの配給の列に並びました。

　アメリカのCNNTVは『住民は調和を保ち、商店などの略奪や暴動は全然見られなかった。アメリカではあり得ない、ショックを受けるほどの光景だった』と報じました。中国の新華社通信は『信号機が停電していても、交差点ではドライバーたちが互いに譲り合い、また避難所では被災者は列をつくって少ない食糧を平等に分配し、しかも全員が感謝の意を表していた』と報じました。

　各国のメディアは、こぞって、大震災の後で東北の人たちが見せた行動は、日本人の気高い資質を示すものと報じました。

　登山家の野口健さんは富士山のごみひろい活動を始めました。なかなか気がつきませんが、私たちは心の奥底に世のための仕事をしたいという気持ちを持っています。富士山のごみひろいの活動は、最初は100人くらいであったのが、子どもも参加するようになり、そのうち8,000人の規模になったそうです。

　日本には数え切れないほどの先端技術があります。金属製品の微細加工や平坦仕上げ、超高層建築の揺れないエレベータ……、日本の先端技術は世界の人々に大いに役立っています。

また、砲丸投げの砲丸や、雪のこぶを楽々乗り越えるスキーの板など、日本の技術は世界のアスリートを支えています。

日本の製品は実用性だけではなく、格調、繊細、風雅、真の強さを感じさせます。こうした伝統は漆器や藍染め技術に見るように、縄文時代から続いているのです。

室町時代の後半になり、日本は群雄が相争う世になりました。そうした中にあってさえ人々は、格調と気品を備えた建物や庭園、陶芸、織物、武具などをつくっていました。また、茶の湯など、わび・さびを愛でる心を培（つちか）っていました。

人々のふるまいや人々がつくるものに代表されるのでしょうが、日本に行くと他の国には無い良いものがある……。世界の人々から、そのように思われることは日本が大きなパワーを持つおおもとなのです」

三つのパワー

「その国の文化や伝統に魅力を感じてもらうことによって、世界の国々から信頼を得、発言力を増す力をソフトパワーと言います。ソフトパワーは、アメリカ、ハーバード大学ケネディスクールの国際政治学者ジョセフ・S・ナイ教授によって提唱されました。日本人は大きなソフトパワーを持っていると言えます。

一方、軍事力や経済力で他国に影響を与えるのは、ハードパワーです。また他国の世論を喚起して自国を優位に導くための情報工作をシャープパワーと言います。

長い目で見ると、ソフトパワーはハードパワーやシャープパワーよりも大きな力を持っていると思われます」

─ 第6章に関連する他の「論語」─

「人、その父母昆弟を間するの言あらず」

『人不間於其父母昆弟之言』

〈家族の悪口を決して言わないからでしょう、その人の父母や兄弟を悪く言う人はいません〉

「古より皆死有り。民、信なくば立たず」

『自古皆有死。民無信不立』

〈そもそも人は誰もがいつか死にます。皆が信義を守らなかったら、誰もこの世で生きていくことはできません〉

「君は君たり。臣は臣たり。父は父たり。子は子たり」

『君君、臣臣、父父、子子』

〈リーダーはリーダーの役割を果たし、リーダーのもとにいる人はそれぞれが自分の役割を果たし、父は父の、子は子の持ち味を生かすことです〉

第7章

人生のクォリティを高める

　私たちには生きていくためにモノとお金が必要です。モノやお金がたくさんあって豊かに生活する人生をクォリティライフといっています。それはそれで結構かもしれません。

　この章では、孔子の言葉を参考に、人生のクォリティを高めるというのは、本当はどのようなことか探ってみたいと思います。

（1）小さな野心は捨てる

「仁者は己立たんと欲して人を立て、己達せんと欲して人を達す」

『夫仁者、己欲立而立人、己欲達而達人』

〈思いやりがある立派な人は、自分が仕事をしっかりやろうと思ったら、人がしっかり仕事ができるようにします。自分が何かを成し遂げようと思ったら、人が何かを成し遂げられるようにします〉

{原文にある**夫**は、あらためて文を起こす時に使う字です。**仁者**は、他者への思いやりがある人、立派な人の意味です。**己**は、自分自身のことです。**欲**は、そうしたいと思う、です。**立**は、しっかり両足を地につける、しっかり仕事などの基礎を作る、という意味です。原文にある**而**は、そうして、という意味です。**達**は、さしさわりなく進む、すらりと進む、成し遂げるという意味です。達には、草食動物の羊という字が入っています。一般に、草食動物は短時間ですらりと出産します。肉食動物がやって来た時、すぐ逃げられるよう、お産が軽いのです。それで、達には、すらりといく、という意味があるのです。ここでは、ものごとをさっと成し遂げるという意味になります}

☆

　ある音楽ライブでのことです。出演者はＡさんと高名なゲストの二人でした。ライブでＡさんは自分の曲を主に演奏し、高名なゲストはＡさんの曲を二曲合奏しておしまいでした。トークでは、Ａさんは自分の売り込みの話ばかりで、高名なゲストは、ただＡさんの側にいるだけでした。

　自分が主役であることをことさらに強調しても、人を惹きつけることはできません。その時ライブの会場は白けた雰囲気でした。Aさんはまずゲストを立て、自分が目立つようにせず観客を楽しませることを主にすべきだったのです。

　名声は人がもたらすものです。自ら名を売るというのは、自分の満足度を高めるだけの小さな野心を表しているに過ぎません。

　目の前にいる人が花咲くようにする人は、さすがと言われます。その噂はネットや口コミで次第に広がります。その方がずっといいのです。自分も人もハッピーになるのです。

☆

　高校野球でレギュラーになれず、練習の時は散らばった球を拾うだけという3年生がいました。彼はチームの勝利に自分なりに貢献できるならと言って、ひたすらレギュラーの下支えに徹しました。それは徳を積む行為で、彼の人生のクォリティを高めるものでした。彼の母親は息子が活き活きやっていればそれでいい、と我が子を支援しました。この親子の姿は宇宙にある意識のクラウドにしっかり記録されます。

「コナン、人気の秘密」

　「テレビアニメ「コナン」は、悪者に薬で子どもにされた高校生探偵コナンが、数々の難事件を解決する物語です。その推理力は大人もかないません。コナンは、友の無事を祈って涙する思いやりがあります。

　そのコナンは、自らの命をもかえりみず犯人をつかまえるために戦います。そして手柄は人のものにし、自分はあくまでも謙虚にしています。

　コナンはとてもクォリティが高い生き方をしています。大人も子どもも、そのことがわかるのです。これが、「コナン」に人気がある大きな理由と言えるでしょう」

☆

「位無きを患えず、立つ所以を患う」

『不患無位、患所以立』

〈自分が高い地位についていなくても気にすることはないのです。
でも、人が高い地位についているのが皆から期待されたからか、
あるいは正しくない人事によるものか、は気になります〉

{位は、地位、ポスト、のことです。患は、くよくよ気にする、わずらう、
うれい、という意味です。立つは、地面に立つ、人に知れわたる、はっきり
示される、生じる、何らかのアクションを起こす、地位につく、などの意味
があります。ここでは、地位につく、の意味になります。所以は、理由、わ
け、という意味です}

☆

　大きな会社の役員になって運転手つきの車にふんぞり返り、豪
邸に住んでいても、見識が無くその地位にふさわしい風格もなく、
仕事もできないという例はたくさんあります。それは人事が正し
く行われていないことの現れです。一般に、社会的に高い地位に
就いていた人は、引退した後も自分は偉い者であるという意識を
持ち続ける傾向があります。引退後、近隣の人たちとのつき合い
が始まっても、自分は誰よりも偉いと思っています。その人のそ
うした態度は、近隣の人たちに、とうてい受け入れられるもので
はありません。結局、その人は近隣で孤立し、寂しい晩年を送る
ことになります。

☆

　一方、高い地位にふさわしい品格や見識、能力がある人、つま

り君子が低い地位にとどまっているという例はたくさんあります。君子は、高い地位を目指してあくせくしたところで何にもならない、そんな野心は小さなものだ、広い世界にはたくさんの人がいる、その人々の役に立つことを考える方がずっといいと思っているのです。

　このことは政治や芸術、学問の分野でも共通しています。

　孔子は、その人事が人の道に合っているか、よく考えてください、と言っているのですね。とかく小人が高い地位につくような世では、高い地位についていること自体が恥ずかしいことと言っています。

　高い地位にふさわしい品格や見識、能力がある人が表舞台に出られないとしたら、それは世の大いなる損失です。しかし、そんな状態に置かれていてもじっと出番を待つ、それが君子の生き方です。君子は、いつか必ずしかるべき地位について世のために活動できます。

「どう思う？　鴨長明（かものちょうめい）の生き方」

　「歌人で随筆家の鴨長明（1155〜1216）は、名門の家柄に生まれ、出世の道を歩んでいました。しかし目につくのは、上の立場に立つために正論を曲げても上役に媚びる人や、他を押しのけて自分の利益を追う人の姿でした。せっかく高い立場に立っても世に役立つ仕事をしない人もいます。そんな人たちの姿にうんざりした長明は、都を出て林の中に小さな庵（いおり）を造り、一人移り住みました。移り住んだとは言え、彼は世間とすっかり縁を切ったのではありませんでした。彼を理解する友人や支援者たちとは連絡を取り合っていました。

そして彼は、人々に役立つ災害を防ぐ方法を説き、随筆「方丈記」を著しました。「方丈記」は「枕草子」や「徒然草」とならんで日本の三大随筆と称されています。

長明の時代、出世の道をかけ上がった人たちのほとんどは今日名を残していません。一方、鴨長明は立派に名を残しています。

皆さんは、鴨長明と出世した人たちとどちらが人生のクォリティが高かったと思いますか？」

（2）負けるときは負けてしまえ

「君子は争うところ無し」

『君子無所争』

〈善い心の働きを出す品格ある人は、無用な争いをしないものです〉

{君子は、善い心の働きを出す品格ある人のことです。争は、手で引っ張り合うという意味の字で、取り合いをする、力づくで奪い合うという意味です。争には、いさめる、あやまちを改めるように言う、という意味もあります。ここでは、取り合いをする、の意味で訳します。所は、～するところ、と読み、ここでは、～すること、と訳します}

徒競走で二人がほぼ同時にテープを切りました。二人は、自分が勝った、いや自分こそ、と言い争いました。どちらが一等だったかは、後で判定してわかることです。

言った、言わないで争うことはよくあることです。人前で自分

を悪く言う人に反論することもあります。これらも、後でどちら
が正しかったかわかることです。

　カラオケで高得点を争ったりゲームで優劣を競ったり……。皆
さんなら、こんな時どうしますか？　後でわかることで争っても
結局は時間とエネルギーのムダなのです。一等賞や得点にこだわ
らず、一旦ああそうかと負けておいたら？　寛大な人、平和をも
たらす人という印象を与えるので、すごく恰好いいかも。

　とは言え、君子も理不尽な攻撃を受けた時や訴訟などの時、自
分が正しかったら、社会正義のために争うことでしょう。つまら
ないことでは争わず、言うべき時はしっかり意見を言う、それが
君子の生き方です。

☆

「人の己を知らずを患えず。人を知らざるを患う」

『不患人之不己知。患不知人也』

〈人が自分のことを知らなくても気にすることはありません。で
も、人のことを知らないのは、うれわしいことです〉

{**患**は、くよくよ気にする、わずらう、うれい、という意味があります。**知**
は、本質を正しく見る、記憶などの意味があります。**也**が入っているので、
この言葉を強調していることがわかります}

☆

　誰もが、自分を理解してほしい、褒められたいと思っています。
　ピアノを誰よりもうまく弾けるのに、自分より下手な人が選ば
れて学芸会で演奏することになった、あるいは、自由研究で拍手
がくるくらいの発表をしたら、あれはパクリだと言われた……。

自分より下手な人が選ばれたらしゃくにさわります。一生懸命や
ったことが、パクリ、と言われたらとても腹が立ちます。

☆

　自分の実力や、ことの真実は、後で必ず知られることになりま
す。その時はしゃくにさわり腹が立つでしょうが、後で振り返る
と、あれは一時のできごとだった、で終わるのです。

　孔子は、自分が理解されない時は耐えるしかないと言っている
のです。耐えるというのは、無理にがまんすることではありませ
ん。耐えるというのは、時間の経過を待つということなのです。
これが人生のクォリティを高めるもとです。

☆

　人にしてあげたことがきちんと評価されないことがあります。たとえ何かをしてあげた人から感謝されず、頼んでもいないのに余計なことをされたなどと言われることもあります。そんなこと気にすることはありません。放っておくことです。

　すべての人の意識は宇宙にある意識のクラウドに入ります。いずれその情報は広く伝わり、人々が真実に気づくことになるのです。

　一方、自分は、人がそんな思いをしないよう、きちんと人を評価するよう努めます。一見、弱々しく見える人でも苦難を乗り越える気概を持っているかもしれません。日頃強そうにしていても、何かあると怯えて、すくんでしまう人は多いのです。決断力があり潔さがある人は、日頃は穏やかにしているものです。強そうにしていても、自分では何も決められず、何かあるとすぐ言い訳し保身に走る人は多いです。優しい人は、強いから優しくできるのです。

「韓信の股くぐり」

　「漢代の大将軍、韓信（生年不詳〜紀元前196）は、周辺の諸国を滅ぼした歴史に名を残す英雄です。

　韓信は、小さい時から武将になって活躍する夢を抱いていました。青年の頃、彼は町のならず者に言いがかりをつけられ、集まってきた大勢の人の前で、そのならず者の股をくぐらされました。それは韓信にとってとても大きな屈辱でした。

　その時韓信は、自分の大きな目的を考えると、ならず者をやっつけたところで何ら名誉なことではないと思い、その場では静かになすがままにされていたのです。」

（3）急ぐことはない

「君子の天下に於けるや、適無し也、莫無し也、義之と与に比む」

『君子之於天下也、無適也、無莫也、義之与比』

〈この世は、思い通りにいくこともあれば、思い通りにいかないこともあります。善の心の働きを出す品格ある人は、世のため人のために今一番大事なことをする人の側に立つ、という生き方をします〉

{**君子**は、善の心を出す人、です。**之**は、このこと、を指す字です。**於**は、そこに居る、です。**天下**は、この世、のことです。**適**は、思い通りにいく、という意味です。**莫**は、さからう、受け付けない、という意味です。ここでは、思い通りにいかないという意味になります。原文は適無しや、莫無しやで、この順で訳すと、思い通りにいかないこともあるし、思い通りにいくこともある、になります。ここでは、読みやすいようにこの順を入れ替えて訳しています。**也**は、〜のこともあろう、という意味があり、そのように訳します。**義**は、世のため人のために今一番大事なことと訳します。**与**は、とも、と読み、仲間と力を合わせるという意味です。**比**むは、その側に立つという意味です}

☆

　この世には思い通りにならないことがたくさんあります。勤勉が必ずしも報われるとは限りません。また、自分の人生で次に何が起こるか予測はできません。家業が失敗して、それまでよりも

小さな家に引っ越すこともあるでしょう。学校で落ちこぼれてしまうこともあるでしょう。転校し、新しいクラスに入って、なかなかなじめないこともあるでしょう。病気になって落胆することもあるでしょう。こうしたことは自分に与えられた避けられないことなのです。こんな時は焦ってはいけません。避けられないことは甘んじて受けるしかありません。

　うまくいかない時でも筋を通すことを考えては？　と孔子は言っているのです。そんな時でさえ筋を通し、世のため人のためになることを考えると、気高い人という印象を人に与えます。どん底の経験や落ちこぼれの経験は、その人にとってとてもパワフルな武器になります。与えられた避けられないことは、自分を強くし、将来大きく成長するもとになるのです。

　心の持ち方一つで穏やかでいることができます。心が穏やかな時、宇宙からエネルギーがたくさん入ってきます。そして次のステップに向かう元気が出てきます。これが人生のクォリティを高める生き方なのです。

☆「仁者は難きを先にし、しかる後獲る」

　『仁者先難而後獲』

〈理想的な人は、まず面倒なことから取りかかります。そうした後で成果を手に入れます〉

{**仁者**は、理想的な人のことです。**難き**は、かたき、と読みます。〜し難い、と書く時は、がたい、と読みます。難は、簡単ではないこと、難しいこと、やりにくいことという意味です。ここでは、面倒なことと訳します。**先**

は、まず、と訳します。而は、そうして、です。後という字が続いているので二字合わせて、しかる後と読みます。獲るは、える、と読み、成果やモノを手に入れる、という意味です}

　これは大変そうと思う面倒なことは、分解すると小さな困難の集合であることが多いのです。その小さな困難を順に処理していくと、時間はかかりますが、いつか面倒なことはクリアできます。

　面倒なことをやっていると失敗することもあります。しかし何回も失敗することによって成功があるのです。失敗は学びのもと、発見のもとです。失敗しないのが失敗なのです。面倒なことは、後で大きな成果を得るためにあるのです。

　坂道はゆっくり上がればいいのです。疲れたら休めばいいのです。早く処理しなければなどと思うと自分を縛ってしまい、人生のクォリティを下げてしまいます。

「この世をハッピーにする」

　「私たち一人ひとりが人生のクォリティを高めるよう心がけると、それが周りの人たちに良い影響を与え、ひいてはこの世がハッピーになります。私たち一人ひとりは小さな存在かもしれませんが、その小さな力が大きな世界を動かすもとになるのです。

　この世がハッピーになると、その中にいる私たちもとてもハッピーになります。

　人生のクォリティを高める、といって決して難しいことではありません。ごく気楽にできることです。いつも小さくてよいから何らかの目標を掲げ、前向きに進みつつ、にこやかに挨拶する、人に温かく接する、求められたら可能な限り助力する……。人から褒められたいと

思わない、感謝されることを期待しない……。これらを気楽に実践することで人生のクォリティは大いに高まるのです。

★

皆さんが尊敬する先生は穏やかで思いやりにあふれ、優しく生徒に接していながら、気が散る生徒を集中させ、荒ぶる生徒をおとなしく従わせる、そんな先生では？　おどし文句を大声で言って生徒を威嚇するような先生は尊敬できないでしょう？

思いやりの心は、穏やかながらも大きなパワーがあるのです。それがこの世をハッピーにするのです。それは宇宙のルールです。そのパワーのもとは宇宙に満ちていて尽きることがありません」

― 第7章に関連する他の「論語」―

「小を忍ばざれば、則ち大謀を乱す」

『小不忍、則乱大謀』

〈小さな嫌なことを堪え忍ばないようでは、大きな計画を進めることはできません〉

「衆之を悪むも必ず察し、衆之を好むも必ず察す」

『衆悪之必察焉、衆好之必察焉』

〈多くの人の評判が悪くても、必ず自分で調べ、それが本当によくないことかどうか、必ず確かめます。多くの人が好ましいと思

っていることも、それが本当に好ましいものか、必ず自分で確か
めます〉

「楽しんで淫せず、哀しんで傷せず」

『楽而不淫、哀而不傷』

〈楽しんでいても、度を越えてまで楽しむことをせず、悲しいこ
とがあっても、過剰に嘆かないのがいいのです〉

第8章

存在感を高める

　宇宙にある星は、どんな小さな星も宇宙全体の秩序と調和を保つための何らかの役割を担っています。宇宙には、なくてもいいという星は一つもありません。この世に生きる私たちも、一人ひとりがこの世を心地よいものにし、永続的に発展させるための何らかの役割を担っています。いなくてもいいという人は一人もいません。

　自分は気がついていなくても、誰もが、奥底では自己発現して存在感を示したいと思っています。

　存在感を高めるというのは、自分自身を進化させ、何か世の役に立つ仕事をすることによって、自分自身が自分の存在を確かなものと自覚することなのです。

　そのために自分はどういうスタンスでいたらよいか、孔子の言葉をもとに探ってみましょう。

（1）いつもポジティブにしている

「其の進むには与する也。其の退くには与せざる也」

『与其進也。不与其退也』

〈進化向上し成長したい人とは力を合わせます。引っ込み思案に
なっている人とは力を合わせません〉

{**与**は、力を合わせる、参加するという意味です。**其**は、その人、の意味で
す。**進**は進化向上、成長するという意味です。**退**は引き下がる、しりぞく、
引っ込み思案という意味です。**也**が文末にあるので、そうだからね、と強調
していることがわかります}

☆

　ソフトボールの試合で、自分のところに球が飛んで来たら困る
と思っている（ネガティブ）とエラーします。自分のところに球
が飛んで来いと思う（ポジティブ）と元気が出て、活躍できます。
　教室で、よくわかっていないから指されると困ると思ってドキ
ドキしている（ネガティブ）と、気持ちが落ち着きません。指さ
れて答えられなくても、それはそれで何かしら学べると思う（ポ
ジティブ）と不思議に平静になり、人が答えていることも勉強に
なります。
　ポジティブになるというのは、良い意味で攻撃的になるという
ことです。自分のところに球が飛んで来いと思うのは攻撃的な守
備です。教室で自分を指していいよと思うのは攻撃的な受講です。
　先生がどんな問題を出すか試してやるという気持ちで（ポジテ

ィブ）テストに臨むのは、攻撃的にテストを受けるということです。入試もこの姿勢で臨むと、いい結果が出るかも。

このことは、発表会、プレゼンなどでも同じです。会社の仕事も同じです。その他、この世の何でも、このことは同じです。

孔子のこの言葉は、教えを請いにやって来た子どもに対する孔子の基本スタンスを示しています。孔子は、教えを請いに来たこと自体、その子は前に進みたいのだからと言って力を貸すことにしました。そして、ウジウジしている子には力を貸さないからね、とわざわざ言っています。

ウジウジして自分の持ち味を見いだせないまま、何の努力もしないのに、世間からは脱落したくない、自分を認めてもらいたい（自己承認要求）という人はとても多いです。ウジウジしていても根っこのところでは存在感をアピールしたいのです。

誰もが、奥底では、何らかの役割を持ってこの世にいることがわかっているので、存在感を示したいという気持ちが無くなることはありません。でもウジウジしていると自分の持ち味もわからず、存在感はありません。ウジウジして周りから認められない状態が長く続くと、つまらないことで怒りが爆発したりします。奥底にマグマのように溜まった自己承認欲求のはけ口を求めるようになるのです。

今は引っ込んでいて目立たないかもしれないが、いつか自分は持ち味を発揮して世の中で活躍するぞ、という気持ちでいることが大切です。その気持ちは宇宙にある意識のクラウドに届きます。そして意識のクラウドの中にあるその人の持ち味と同じものが共振し、少しずつこの世で頭角が現れるようになります。勉強や仕事もよくできるようになります。ポジティブにしていると、必ずいい方向に進むのです。そして自然に存在感が高まります。

誰もがこの世にいる意味があることを忘れてはなりません。自分のその意味を活かすことが、生きる、ということなのです。

☆

　一方で孔子は、決して焦らないようにと言っています。ポジティブになるのはいいが、自分を向上させるためにスキルを身につける時など、じっくり構えて進みなさいと言っています。

☆

「速やかならんと欲することなかれ、小利を見ることなかれ。速やかならんと欲すれば則ち達せず、小利を見れば則ち大事成らず」

『毋欲速、毋見小利。欲速則不達、見小利則大事不成』

〈何をするにせよ、せかせか急いではいけません。また近道を行くような目先の得を考えてはいけません。せかせか急いでやると途中でダメになります。近道を行くことを考えているようでは、自分が望むことをきちんと成し遂げることはできません〉

{**毋**は、なかれと読み、～してはいけない、と訳します。**欲**は、～したい、です。**速**は急ぐ、せかせかする、です。**見**は見解と同じで、考える、という意味になります。**小利**は目先の得のことです。**則**は、AならばB、です。**達**は、途中でつかえずにすらすら進むという意味です。**不**は、次の字を打ち消す否定詞です。**大事**は、ここでは自分が望むこと、の意味で訳します。**成**は成し遂げるという意味です}

☆

　何をするにしても、焦らない方がいいのは自明でしょう。焦るとロクなことがありません。

　でも、明日はテスト、明日はプレ
ゼン、明日宿題や報告書の提出、明
日大きな委員会や会議などという時
は、あまり準備していないと焦るの
は当たり前です。孔子のこの言葉は
自分の目標に向かって長い道のりを
進む時の心構えを言っているのです
さしせまっている時は、とりあえず
急場をしのぐことを考えるのは仕方
がありません。

　小さな成功をいろいろ経験するこ
とによって、本当にポジティブな人
になっていきます。急場しのぎも
それをたくさん乗り越えることによ
って小さな成功を積み上げることに
なるのです。

（2）悪い見本にならない

「名正しからざれば則ちこと順わず。こと順わざれば則ち事成らず」

『名不正則言不順。言不順則事不成』

〈やっていることが人の道に沿っていなければ、それはきちんと
進みません。やっていることがきちんと進まなければ、自分が望

んでいることは成し遂げられません〉

{名は、やっていることの内容や表現のことですが、ここでは、やっていること、と訳します。不は否定詞です。正は人の道に沿うという意味です。則は、AならばB、です。原文にある言は、本文中の字句（ここでは名）を指す字で、やっていること、という意味になります（古典に出てくる言という字は、文の補注によく用いられます）。順は、きちんと進むという意味です。事は、ここでは、自分が望んでいること、を意味します。成は、成し遂げる、です}

☆

　ポジティブになるのは結構ですが、人を脅かしたり、嘘をついたり、人を騙したり、人の足を引っ張ったり、人をいじめるなど、人の道に沿わないことをしてまで自分の満足を追う人は、何だあいつは、になってしまいます。同じポジティブとは言え、そんなことでは悪い見本になり、悪い方で存在感が出てしまいます。

　いつも筋が通った確かなことをやっていないと、誰も受け入れてはくれません。結局、自分が望むことは達成できません。

　人が何を考えているか、人が何を望んでいるか洞察し（見抜き）、それが善いことであれば、その人が望むことに協力し、思いやりをもって接していると、その人たちは必ず強い味方になってくれます。そして自分がやっていることに大きな力を貸してくれます。それだけでも自分の存在感は高まります。

☆

「富と貴は是人の欲する所也。其の道を以てしからずんばこれを得ても處らざる也」

『富輿貴、是人之所欲也。不以其道得之、不處也』

118

〈たくさんの貯えや、皆を従える立場に立つことを人は求めるものです。でも人が行うべきやり方によらずに、これらを手に入れたとしても、それが長く自分のものであることはありません〉

{**富**は、財産が多く豊かなことです。ここではたくさんの貯えと訳します。**貴**は、身分が高く人から敬われる立場のことです。ここでは皆を従える立場と訳します。**輿**は、と、と読み、そのままの意味で訳します。**是**は、富と貴を指します。**所**は、〜である、と訳します。**其の道**は、人が行うべきやり方、のことです。**得**は、手に入れる、です。**處**は、そこにずっと落ち着くという意味です。ここでは、長く自分のものである、という意味になります。**不**がついているので、長く続かない、という意味になります。**也**がついているので、そうだからね、と強調していることがわかります}

☆

　会社の係長人事で、誰もがあの人ならと納得する人を任命すると、どこからも文句は出ません。その人はいずれ、その上のポジションに就くことでしょう。一方、日頃人の悪口を言い、年下の人をいじめるような人が任命されると、皆やる気を失ってしまいます。その人は、いつしか係長から外されます。

　経営の神様と言われた実業家松下幸之助（1894〜1989）は、役職には徳がある人格者を抜擢すると言いました。その方が、組織がしっかりするのです。徳がある人格者は、決して人に不快なことをせず、実行力と決断力があります。自分が目立とうとしなくても存在感があります。

　学校でも会社でも、目立ちたい人、人を服従させて自己満足する人がいます。そういう人は、例えば誕生プレゼントをたくさんもらうことや、ちやほやされることが嬉しいのです。自分が属しているところを心地よくするという配慮や、他を思いやる器量は

ありません。

　クラスの中でスクールカースト（愚かな上下関係）をつくり、その上位にいることで自分の存在感を高めようとする人がいます。その人は、自分より力が無いと思う人を侮り、脅し、いじめます。自分になびく者を多く集めて高圧的に支配し、ものをたくさんプレゼントされることが大きな喜びなのです。

　そんな人も、自分がやっていることが間違っていると気づくだけで状況は劇的に変わります。人の気持ちがわかるようになり、善い意味でポジティブになれば、皆から本当のイイネがたくさん集まるようになるのです。

「対、誹謗中傷、いやがらせ」

　「真面目にやっている人、勉強ができる人、恰好良く見える人、何か善いことをやっている人、金持ちの家の人に、好き嫌いの感情で誹謗中傷やいやがらせをする人がいます。自分より上と思う人を妬み、ケチを

つけたいのです。そして、ネットでいわれのない悪口（フェイク情報）を流します。良い情報はなかなか広がりませんが、悪い情報はまたたく間に広がります。たまったものではありません。

　そうした誹謗中傷やいやがらせに対するには、どうしたらいいのでしょう？　一番いいのは、そうした雑音は横に置き、黙って、どんなことでもいいからスキルを身につけることです。

　身につけるスキルは、自分が好きなことで善いものであれば何でもいいのです。スポーツ、学問、音楽や古典芸能、日本の文化、武術、歴史、奇術……、自分が好きなことは、楽しんで頑張ることができるでしょう。それに、何かやっていると嫌なことを忘れます。

　スキルを身につけることは、意識のクラウドの中にある自分の領域を拡大することに他なりません。それは自分にとって大きな進歩になります。スキルを身につけるために努力することによって、他の分野のこともよくわかるようになります。つまり、ツブシがきく人物になれるのです。

　身につけたスキルは世の役に立ちます。その姿は良い見本になり、存在感が高まります。

　それに悪い情報を流されても、必ずそれはフェイクであることが世に知られることになります。隠し通せるものは何一つ無いのです」

　人の上に立ちたい人や自己満足だけの人と会うのが嫌で、朝、家を出て学校や会社に行こうとすると、お腹の調子が悪くなる人がいます。そんな時は、いつか自分は活躍するようになる、必ず活躍できる、と心の中で思ってください。

　そして将来活躍できるよう、誰に遠慮することもなく自分を磨いてください。そうしていると、人の上に立ちたい人や自己満足だけの人が何とも小さな人に見えてきます。その人に媚びている人たちが、さらに小さなつまらない人に見えてきます。

（3）自分を客観的にみる

「徳の脩まらざる、学の講ぜざる、義を聞きて徒能わざる、不善の改むる能わざる、是吾が憂い也」

『徳之不脩、学之不講、聞義不能徒、不善不能改、是吾憂也』

〈生まれた時に与えられた善い品性が活かされない。学んだことを実践できない。大事なこととわかっているのにそれを実行できない。善くない行いを改められない。自分はそれを悩ましく思っています〉

｛**徳**は、生まれた時に与えられた善い品性です。**脩**は、身につけたものを活かす、と訳します。**学**はこれまで学んだことです。**講**は、対策を講じる、の講じると同じで実践する、です。**聞**は、知ってわかるという意味です。**義**は、今もっとも大事な為すべきことです。**徒**は、かちと読み、足を前に踏み出すという意味です。ここでは実行すると訳します。**不善**は善くない行いのことです。**改**は、悪いやり方を直すことです。**是**は、このこと、です。**吾**は自分、**憂**は思い悩むという意味です｝

☆

　これは、優れた指導者、人格者、教育者として世に知られる孔子が、自分を客観的にみた時の言葉です。随分、謙虚ですね。これは孔子の言葉ではなく、後年、創作された言葉とも言われています。ともあれ、この言葉に即し、自分を客観的にみる例をいくつか上げてみましょう。

　（徳について）人にしてあげたことをいつまでも恩着せがましく思っていないか？　してあげたことは一言も言わない方がいいのです。

　（学について）自分が学んだことだけが正しいと思い込んでいないか？　頑(かたく)なにならず、柔軟にものごとを考えるようにしているか？

　（義について）2020年、新型コロナウイルスの感染の拡大が大問題になりました。感染すると命を失う危険があります。4月には政府から非常事態宣言が出され、国民は家にいるように、会社やお店は休業するように自粛が求められました。一人ひとりが自粛して感染の拡大を抑制することによって、自分自身が感染の危険がなく、また会社やお店が再開して経済活動を復活できるのです。つまり一人ひとりにとっては、外出を避けることが義なのです。にもかかわらず、自己満足を優先して景勝地やイベントなどに出かけて渋滞や密集を生み出し、感染の機会を増やした人が大勢いました。さて、自分は感染の拡大を抑える側か？　自己満足を優先する側か？

　（不善について）人の悪口を言い、意地悪し、人の足を引っ張っていないか？　人を不快にすることをしていないか？

　如何ですか？　こうしたことを週に一度、または月に一度、自分を客観的にみては。善くないことを選択していたらそれを改めることによって、自分の存在感はとても高くなります。

☆

「仁者(じんじゃ)は必(かなら)ず勇(ゆう)有(あ)り。勇者(ゆうしゃ)は必(かなら)ずしも仁(じん)有(あ)らず」

『仁者必有勇。勇者不必有仁』

〈ものごとをわきまえた立派な人は、必ず、何かあった時はそれに立ち向かう気構えを持っています。血気盛んで強そうにしている人がものごとをわきまえているとは限りません〉

{仁者は、理想的な人という意味がありますが、ここでは、ものごとをわきまえた立派な人と訳します。必は、必ず（きっと～に違いない）です。勇は、ものごとに相対する気構えという意味です。有は、有る、です。勇者は血気盛んで強そうにしている人のことです}

☆

　日頃強がっている人、声高に持論を言う人は、いざという時、金縛りに遭ったようにおとなしくなってしまう傾向があります。本当に強い人は、いつも口数が少なく優しくしていますが、いざという時は打たれても挫けず、何くそと頑張る気構えを持っています。声を上げる必要がある時は、動ずることなくしっかり自分の意見を述べます。

　実力が無く、たいしたことがない人ほど、日頃は威張って偉そうにしています。自分を高く見せることによって、かえって自分を貶めていることに気がついていないのです。実力がある立派な人は謙虚にしています。

　能力が無い人ほど知識をひけらかします。能力が有る人は自分が知らないことは知らないと言います。

　人は人によって評価されます。本当に強い人、実力がある人、能力が有る人は必ず認められます。その人たちには、大きな存在感があります。

― 第8章に関連する他の論語 ―

「君子は貞にして諒せず」

『君子貞而不諒』

〈善い心の働きを出す品格ある人は、筋を曲げることがなく、人の言うことを深く考えずにあっさり認めることはありません〉

「君子は其の言に於いて苟しくするところ無し」

『君子於其言、無所苟而已矣』

〈善い心の働きを出す品格ある人は、間に合わせのいいかげんなことを言うことはありません〉

「工其の事を善くせんと欲すれば、必ず先ず其の器を利にす」

『工欲善其事、必先利其器』

〈善い仕事をする評判が良い大工は、必ず、仕事にかかる前に鉋や鋸など道具の切れ味をよくしておきます〉

第9章

天は万物の根源

"天地万物の根源は天にある（すべてのおおもとは天にある）"これは「論語」を中心とする儒教の基本の教えです。孔子の時代、天はあらゆるものをつくり、あらゆるものを支配する最高の神様を意味しました。天、すなわち神様は地上に生きるあらゆるものをつくり、五穀をつくり、星をつくり、そしてそれらを生かすおおもとであるとされていたのです。

　この章では、孔子がその神様とどう向き合ったか見てみましょう。

（1） 私たちはいつも見えないものに見られている

　孔子は神様の話をしなかったと伝えられています。しかし、孔子は、目に見えない神様にいつも見られており、自分の本質を正しく見抜いているのは神様であると思っていたようです。

「罪を天に獲るときは、祈るところ無し也」

『獲罪於天、無所祈也』

〈罪深い不祥事を起こしたことが、すべてを支配する神様に知られることになったら、もはや望みを叶えてください、などと祈るところはありません〉

{獲るは、成果やモノを手に入れる、取り込む、の意味があります。ここでは、天が取り込む、天つまり神様に知られる、という意味になります。罪は、悪事、あやまち、法をおかすこと、禍をもたらす不祥事、自分の不都合、のことです。ここでは、罪深い不祥事と訳します。於は、そこに、です。祈るは、望みが叶うよう神様に祈る、です。原文は、所祈、となっているので、所欲（欲するところ）、所在（在るところ）と同じ語法で、祈るところ、となります。也が入っているので、言葉を強調していることがわかります}

　この言葉で孔子は、人の道を踏み外した人は神様から見放されると言っているのです。ずいぶん厳しいですね。でもご安心ください。不祥事を起こしても心からそれを悔い改め、愛の心、思いやりの心など善い心の働きを出すと、愛や慈しみのおおもとであ

る神様はすぐにこちらを向いてくれます。

　神様はどこからか自分を見ている……。ならば、例えば観客が何千人もいる大きなホールで演奏するのも、観客が数人しかいないところで演奏するのも同じことです。観客が少なくても精一杯演奏しなければなりません。何しろ神様が聴いているのですから。有名になる、ならない、は関係ありません。人に知られていなくても神様が見ています。この世で無名でも何ら問題はないのです。

　ちなみに、西郷隆盛は“敬天愛人（天を敬い、人を慈しみ思いやる）”、そして夏目漱石は“則天去私（自分はさておき、天のルールに則って行動する）”を座右の銘にしていました。西郷隆盛も夏目漱石も「論語」を勉強していたといいます。

「大昔は不祥事が起きなかった⁉」

　私たちは、起きている時も寝ている時も、休むことなく宇宙にある意識のクラウドと脳の細胞内にあるマイクロチューブルを通して、情報のやり取りをしています。寝ている時は起きている時のような意識はないものの、夢を見るのはこのためです。

　目には見えないものに見られていると感じるのは、休むことなく、この意識のクラウドとやり取りをしているためかもしれません。

　ところで、好ましくない心の働きにかかわる情報が意識のクラウドに増えるようになったのは、今から約3,500年前、お金がつくられ、また職業の分化が始まった頃と考えられます。

　それまで、獲物はすべて平等に分け合っていました。必要なものは物々交換によっていました。意識のクラウドの中には、襲ってくるも

のに対して、自分を守るために抵抗する心の働きはあったものの、そこは、愛や思いやりの心、秩序や調和を重んじる心、労働に耐える心など善い心の働きで占められていたのです。

「鬼神を敬い、之を遠くにするは、知と謂うべし」

『敬鬼神、而遠之、可謂知』

〈神様や祖先の霊は心から敬います。そして神様や祖先の霊は遠いあの世にいると思う人は、知恵がある人と言えます〉

{敬は、謹んでうやまう、です。鬼神は神様や死者の霊のことです。古来、鬼神は私たちに悪いことをしない、むしろ私たちを救ってくれるものとされていました。而は、そうして、です。之は神様や祖先の霊を指します。遠は、離れている、です。可は、そうしてよい、です。知は、人やものの本質を正しく見ること、知恵がある人、のことです。謂うは、言う、です}

130

皆さんは、死ぬとすべては消えて無くなると思っていますか？

　死はこの世で活動しないという意味です。身体が死を迎え、この世で活動をやめても、心の働きつまり意識は宇宙にある意識のクラウドに入り、その後も生き続けます。意識のクラウドは地球を離れた宇宙、いわばあの世にあります。身体は滅びても意識は生き続けます。死ぬことはまさに他界なのです。

　意識のクラウドに入った自分の意識は、また新たな身体が誕生した時、意識のクラウドから出てその新しい身体に入ります。これが転生です*2。

　意識は何度もこの世で人生を繰り返すのです。

　皆さんは、あれ、この景色や場面は以前どこかで見たことがあると感じたことはありませんか？　それは、その人の前生またはそれよりもさらに前の人生で見た景色や場面なのです*3。

☆

　祖先の霊はあの世つまり意識のクラウドの中に入っています。祖先を心の中で想うと、その想いはあの世にいる祖先の霊に届きます。この世で想うことがその人への供養になるのです*4。

＊2　転生は、仏教の思想とされています。生前、善い心の働きを出していた人には善い転生があり、好ましくない心の働きを出していた人は好ましくないところに転生する、これが仏教の教えです。海外でも転生の言い伝えがあります。ちなみにアメリカ・バージニア大学では、2,500件以上の事例をもとに転生の研究が行われています

＊3　前に見たことがあると感じることを既視感（きしかん）といいます。この言葉は、フランス語でデジャ・ビュといいます

＊4　この種の研究が、ノーベル賞受賞者11名が参加している英国ケンブリッジ大学心霊研究協会で大々的に行われています。元会長はノーベル賞を受賞したフランスの哲学者アンリ・ベルグソン（1859〜1941）です

（2）ひらめきは突然天からやってくる

　皆さん、それまでわかっていなかったことが、突然ひらめいてわかったという経験はありませんか？　初対面の人に、この人とはうまくやっていける、とピーンときたという経験はありませんか？

　孔子はこれらについてどのように言っているでしょう。

☆

「学びて時に之を習う、また説ばしからずや」

『学而時習之、不亦説乎』

〈学問や技芸を学んでいて、わからないことがあると、そこで進歩が止まってしまいます。何度も考えているうちに、そのわからないことが、突然わかって先に進めるようになります。それは何てよろこばしいことでしょう〉

{**学**は、先生から知識を授かること、技芸の指導を受けることです。**而**は、そうして、です。**時**は、時間、時代、ある時、という意味です。**習**は、何度もくり返しているうちに突然できるようになる、という意味です。習という字は、羽という字の下に白がありますね。この白は、自が簡略化されたものです。ひな鳥は自分で何度も羽ばたいているうちに、突然飛べるようになるところから、習には突然、できるようになるという意味があるのです。**亦〜**ずや、は何と〜であろうか、という構文です。**説**はよろこぶと読み、心のしこりが取れて晴れ晴れするという意味です}

　それまで解けなかった問題が、幾度も考えているうち突然ひら

めいて解けた！　そんな時、心のつかえが取れる思いがして嬉しいですよね。とてもすっきりします。謎解きも同じです。ああでもない、こうでもない、と考えているうちに、突然ひらめいて解ける、そんな経験あるでしょう？

　知識を蓄積しているから問題が解ける、と普通は思いますよね。それもあるでしょう。でも昔の人は神様が突然解答を与えてくれるとしていたのです。

☆

　たまたま本屋の店頭で目に入った本を手に取って読んだら、自分が探している言葉があった！　何気なくテレビのスイッチを入れたら知人が出ていた……。昔の人は、これらは決して偶然ではなく神様が示したものとしていました。

　神様が示すことによって理解できる、あるいは成し得る、これを天啓といいます。天啓は何の前ぶれもなく突然得られます。歩いている時、電車に乗っている時、ベッドに入っている時……。突然ひらめくのは、この天啓に他なりません。

　孔子のこの言葉は、今伝わっている「論語」の冒頭（学而編）に出てきます。「論語」を編纂した人は、広く人々に読んでもらえるよう、興味を引く言葉を最初にもってきたのではないかと思われます。

☆

「憤せずんば啓せず。悱せずんば発せず」

『不憤不啓、不悱不発』

〈やっきになるくらい考えないと天啓は得られません。胸が痛むくらい考えないと発見や発明はできません〉

{憤は、いきどおる、やっきになる、という意味です。啓は、ひらく、物事を理解させるという意味です。ここでは天啓のことです。悱は胸が痛むくらい考えるという意味です。発は、出発する、ひらく、発明、発見、という意味です}

☆

　努力していれば天啓を得てものごとが進展し、人々に役立つ発見や発明ができる、日頃努力している人に神様は助けの手を差しのべてくれるからね、というのが孔子の教えです。この言葉を、孔子は頑張っていない弟子には助言しなかったと訳す例もあります。
　あと一息で何とかなるということはよくあります。そんな時は、なおさら歯を食いしばって頑張ると神様は助けてくれると孔子は言っているのです。

（3）天の恵み

　私たちには生まれた時、等しく徳の心が与えられますが、生きている間も神様から与えられるものがあります。それは、徳の心をしっかりさせるもとになるものです。孔子は、徳を積むことが品格や人格を高めるもとと言っているのです。

☆

「詩によって興る。礼によって立つ。楽によって成る」

『興於詩。立於礼。成於楽』

〈神様が与えてくれた詩によって人々の知的な活動が振興します。人々の礼儀や善い心づかいによって気持ちがよりしっかりします。

音楽によって心が豊かになり人生が充実します〉

｛詩は、自然の景観や人の美しいふるまいによって感動した時、その感動を言葉にしてあるリズムに乗せたものです。古代の中国では、詩は神様が与えたもの、としていました。また、詩は「四書五経」の「詩経」を指します。ちなみに「詩経」は古代中国の民謡、そして宮廷での饗宴や儀式のうた、祭祀に用いるうたを集めたものです。興は、おこす、おきる、振興する、という意味です。於の語法ですが、ここでは、A（動詞）**於**B（名詞）、になっているので、BによってAがなされると訳します。礼は礼儀や善い心づかい、のことです。立つは、しっかりする、安定する、です。ここでは、より気持ちがしっかりするという意味になります。楽は音楽のことです。古代中国では、音楽は徳のもととされていました。成るは、成し遂げる、実る、仕上がる、変化してある状態になる、という意味です。ここでは、楽によって成る、ですから、音楽によって心が豊かになり人生を充実させるという意味になります｝

　古代中国では、詩、礼、楽、は徳の三点セットで、神様から与えられたものなのです。不愉快なことや怒りをおさめるには詩に勝るものはなく、憂いを断つには音楽に勝るものはないとしていました。

　今日でも心を打つ詩や絵画、心を癒す音楽はイライラや悩みを忘れさせてくれます。心が安定して元気になります。ともあれ、神様は人の道に沿って生きる人を助けてくれるのです。

「徳は孤ならず、必ず隣有り」

『徳不孤、必有隣』

〈徳がある人は、一人ぽっちになることがありません。必ず仲間がまわりにいるものです〉

{**徳**は、素直な心をまっすぐ出して善い行いをする心の働きです。**孤**は、一人だけになるという意味です。**必**は、かならず〜である、です。きっと〜に違いない、と訳すこともあります。原文にある**不孤**は、一人だけになることはないと訳します。**有**は、ある、です。**隣**は、仲間、そばに連なる、という意味です}

　私たちの誰もが、生まれた時、神様から徳すなわち素直な心をまっすぐ出して善い行いをする心の働きが与えられています。徳の心を出すのは神様の意思に沿うことです。そして徳の心を出す人は神様の意思を伝える人でもあります。徳の心を出して生きている限り、必ず神様は仲間を与えてくれるのです。

　神様はこの世をよりよいものにするため、神の意思を伝える人を、長く生かします。そういう人にはエネルギーをたくさん与え、健康と元気を維持してくれるのです。

「願いが叶う祈り方」

「皆さん、初詣で何を祈りますか？　学業や仕事の成就？　部活で活躍すること？　健康？　家族の幸せ？

何を祈るにせよ、神様には、まず今無事に生きていることを感謝し、自分の至らなさをあやまり、次に世界の平和と人々の幸せを祈り、三番目に自分の願いごとの成就や健康を祈ります。

感謝しあやまることによって、そして皆の幸せを祈ることによって、神様は必ずこちらを向いてくれます。神様がこちらを向いてくれている時に自分の願いごとの達成を祈る、これが願いを叶える祈り方です。

多くの人は、初詣の時、神様の前で自分の願いごとだけを祈るようです。これは間違っています。神様は自分勝手な人を好みません。あくまでも自分の願いごとは二の次、三の次にすることです」

― 第9章に関連する「論語」―

「神を祭るは、神在すが如くす」

『祭神如神在』

〈神様をお祭りするときは、そこに神様が実際にいらっしゃるかのようにします〉

「未だ人を事う能わず、いずくんぞ能く鬼に事えん」

『未能事人、焉能事鬼』

〈人とのかかわり方もまだ十分にはわかっていないのに、神様への仕え方などわかるはずがありません〉

「天を怨まず、人を咎めず、我を知る者は、それ天か」

『不怨天、不咎人。知我者其天乎』

〈不運なことがあっても神様を怨んだりしません。人を咎めることもしません。自分のことを本当に知っているのは神様だけです〉

お わ り に

「論語」の言葉を一つでも実践すると、とても心地よくなります。そして思いやりの心が表に出るようになり、身体によいホルモンがたくさん分泌します。そして、生のリズムに乗ることができます。何よりも脳が活性化し学習能力が高まります。脳神経に疾患がある人が「論語」を読むと症状が改善し快方に向かうそうです。

　私の実感ですが、子ども論語教室や会社の新人研修で1時間ほどの素読をまじえた「論語」の講義の後、子どもたちや新入社員たちの背筋が伸び、顔つきが爽やかになっています。講義のアンケートでは"人にも自分にも負けない力強さを身につけられそう"、"辛いことや困難を避け、つい楽な方に身を置いてしまう自分から脱却できそう"、"どんなことにも積極的に立ち向かう気力がわいてくる"、"真に自立できそう"といった回答が寄せられています。

☆

　まさに、魔法のような言葉を残した孔子は、どのような人生を送ったのでしょう？

　孔子は紀元前550年、魯という国（現、中国山東省）で生まれました。朝に一つの国が興ると、夕刻には一つの国が滅ぶというような、小国が乱立して互いに激しく闘っていた時代（中国春秋時代）でした。孔子が生まれた時、父親は64歳、母親は15歳でした。

　父親は孔子が3歳のときに亡くなりました。巫女であった母親は、孔子が17歳のときに亡くなりました。母親と死別してから、孔子は牧場の番人になって家畜の世話をし、倉庫の出納を担当す

るなど、どちらかと言うとあまり人がやりたがらない下働きをたくさんしました。身長が２メートル近い大柄な身体をこまめに動かしてよく働いたので、勤勉で労苦を厭（いと）わない人と思われていたようです。19歳で結婚、子どもができましたがほどなく離婚し、その後ずっと独身を通しました。家庭的にも恵まれず、日々仕事では辛（つら）い思いをしたようです。

　孔子の言葉はいわばせっぱ詰まった状態の連続ともいえる日々の実体験から絞り出されたものなのです。

☆

　孔子は自分の人生を次のように言っています。

> 「吾（われ）、十有五（じゅうゆうご）にして学（がく）に志（こころざ）し、三十（さんじゅう）にして立（た）つ。四十（しじゅう）にして惑（まど）わず。五十（ごじゅう）にして天命（てんめい）（自分に与えられた使命）を知る。六十（ろくじゅう）にして耳従（みみしたが）う」

　10代の半ば、孔子は巫女（みこ）であった母親の仕事を通して、自ずと礼（お葬式の儀礼や作法）を身につけました。また宇宙の真理を示す「易」を学びました。射（弓）も練習したようです。

　30代になり、孔子は礼や「易」に詳しい者であることが評判になり、弟子を持つようになりました。

　40代になり、孔子は政治や楽器、算術などを学んで自らを向上させ、弟子に生きる上の心構えなどを説きました。

　50代になり、孔子は魯の王（定公）に登用され、地方の長に任ぜられました。小さな都市でしたが、そこで自分が理想とする政治や行政を行いました。しかし54歳のとき、彼の失脚（しっきゃく）をたくらむ者によって地位を失い、孔子は弟子を連れて魯の国から出て行きました。

　60代になり、自分を登用してくれる国を探して弟子とともにあちこちの国を旅しました。孔子は人の意見をよく聞きながら、さらに心を磨き、よりよい人生のあり方、よりよい社会のあり方を説いて歩きました。68歳のとき孔子は魯に戻りました。

　70歳になり、孔子は"年をとって自分の心のままに生きるのもいいが、人が守るべき道を踏み外してはならないね"と言っています。孔子は71歳で亡くなりました。

☆

　人は幼年期から青年期の頃、自分はどんな存在？　自分の中に何が入っている？　どう人生を送ったらいい？　を知りたいと脳が要求しているといいます。この要求に応えてくれるのが「論語」です。

　この本は皆さんに是非読んでいただきたい「論語」を、伝わっている原文をもとに、漢字源などを駆使して約2,500年前の字の意味を探りながら、今日の人が分かるよう訳したものです。

　皆さんがよりよい人生を創り上げていく上で、この本を参考にしていただけましたら幸いです。

☆

　この本の出版を勧めてくださった木山甍世氏、出版していただいた三和書籍代表取締役高橋孝氏、本の制作でお世話いただいた編集部福島直也氏に、心からの謝意を表したいと思います。

樫野紀元

<**本書に掲載した「論語」一覧**> （気に入った言葉を探しましょう）

第1章 私たちに与えられているもの

(1) 心と身体は宇宙からやってきた?!

　　「天、徳を予に生せり」

　　「父母は惟其の疾を之憂う」

(2) なぜ、人によって性格が異なるの？

　　「性相近き也、習相遠き也」

　　「其の以いるところを視、其の由るところを観、其の安んずるところを
　　　察すれば、人いずくんぞかくさんや」

(3) 幸せのもと

　　「仁、以て己が任と為す」

　　「苟しくも仁を志せば、悪むこと無き也」

　　　　　　── 第1章に関連する他の「論語」──

　　「今、親孝行は、是親を能く養うを謂う。犬馬に至るまで皆能く養う有
　　　り。敬せずんば、何を以て別たんや」

　　「里は仁なるを美と為す」

　　「君子は徳を懐い、小人は土を懐う」

第2章 生きるってどういうこと？

(1) 私たちが選べること、選べないこと

　　「我、仁を欲すれば、ここに仁至る」

　　「仁者は 壽 」

(2) 生きる意味

　　「たとえば山を為るが如し。未だ一簣を為さずして止むは、吾が止む也」

　　「道を志し、徳に拠り、仁に依り、芸を遊す」

⑶ 正しい道を行く

「匹夫も志を奪うべからざる也」

「人、遠慮無ければ、必ず近き憂い有り」

― 第2章に関連する他の「論語」―

「巧言令色、鮮し仁」

「能く五つを天下に行うを仁と為す。恭、寛、信、敏、恵なり」

「君子に三戒有り。少き時は、血気未だ定まらず、之を戒しむるは色にあり、其の壮になるに及んでは、血気方に剛なり、之を戒しむるは闘にあり。其の老ゆるに及んでは、血気既に衰う、之を戒しむるは得にあり」

第3章　人に嫌われない生き方

⑴ 決してしてはならないこと

「己の欲せざるところを人に施すことなかれ」

「利を放にして行えば怨多し」

⑵ 後で悔やむもとをつくらない

「苟しくも過ち有れば、人必ず之を知る」

「朽木は彫むべからず」

⑶ いつでも善い自分に戻ることができる

「人の生くるや直なれば也。これを罔して生けるは幸いにして免かるる也」

「過てば則ち改むるに憚ること勿れ」

― 第3章に関連する他の「論語」―

「人の過ちや、各その党に於いてす。過ちを観て、その仁を知る」

「君子は人の美を成し人の悪を成さず。小人は是に反す」

「過ちて改めざる、是を過ちと謂う」

第4章　士って、どんな人？

(1) 自分をよく律している

　　「子、四つを絶つ。意なし、必なし、固なし、我なし」

　　「君子は、食、飽くを求むること無し。居、安きを求むること無し。事に敏にして言に慎む」

(2) 何が大事か、よく知っている

　　「君子は義に喩り、小人は利に喩る」

　　「義を見て為さざるは勇無き也」

(3) ゆったりしている

　　「君子は泰にして驕らず。小人は驕りて泰ならず」

　　「君子は坦として蕩々たり。小人は長に戚々たり」

　　　　　― 第4章に関連する他の「論語」 ―

　　「士にして居を懐うは、以て士と為すに足らず」

　　「切々偲々、怡々如くたれば、士と謂うべし」

　　「君子の徳は風なり、小人の徳は草なり」

第5章　なぜ勉強しなければならないの？

(1) 自分の持ち味をみつける

　　「君子は博く文を学ぶ」

　　「之を知る者は、之を好む者に如かず。之を好む者は、之を楽しむ者に如かず」

(2) ひとりよがりは禁物

　　「学は則ち固にせず」

　　「異端を攻むるは、害のみ」

(3) 誰もがなれる、本当のエリート

　　「賢を見ては斎からんことを思い、不賢を見ては自ら内を省みる」

「汎く衆を愛して仁に親づく」

　　　── 第5章に関連する他の「論語」──

「子、四つを教う。文、行、忠、信なり」

「学は及ばざるが如くす。なお之を失わんことを恐る」

　「古の人は、己の為に学ぶ。今の人は、人の為に学ぶ」

第6章　私たちは何らかのチームに属している

(1) 家族

　「父母の年は、知らざるべからず」

　「君子は諸を己に求め、小人は諸を人に求む」

(2) 会社

　「君子は周して比せず。小人は比して周せず」

　「君子は言に訥にして、行に敏ならんことを欲す」

(3) 地域社会、国

　「之を導くに政を以てし、之を斎うるに刑を以てすれば、民免かれるを
　　恥じること無し。之を導くに徳を以てし、之を斎うるに礼を以てすれば、
　　恥じること有りて且つ格る」

　「政を為すに徳を以てすれば、たとえば、北辰が其の所に居て、衆星の
　　之に共するが如し」

　　　── 第6章に関連する他の「論語」──

「人、その父母昆弟を間するの言あらず」

「古より皆死有り。民、信なくば立たず」

「君は君たり。臣は臣たり。父は父たり。子は子たり」

第7章　人生のクォリティを高める

(1) 小さな野心は捨てる

「仁者は己立たんと欲して人を立て、己達せんと欲して人を達す」

「位無きを患えず、立つ所以を患う」

(2) 負けるときは負けてしまえ

「君子は争うところ無し」

「人の己を知らずを患えず。人を知らざるを患う」

(3) 急ぐことはない

「君子の天下に於けるや適無し也、莫無し也、義之と与に比む」

「仁者は難きを先にし、しかる後獲る」

— 第7章に関連する他の「論語」 —

「小を忍ばざれば、則ち大謀を乱す」

「衆之を悪むも必ず察し、衆之を好むも必ず察す」

「楽しんで淫せず、哀しんで傷せず」

第8章　存在感を高める

(1) いつもポジティブにしている

「其の進むには与する也。其の退くには与せざる也」

「速やかならんと欲することなかれ、小利を見ることなかれ。速やかならんと欲すれば則ち達せず、小利を見れば則ち大事成らず」

(2) 悪い見本にならない

「名正しからざれば則ちこと順わず。こと順わざれば則ち事成らず」

「富と貴は是人の欲する所也。其の道を以てしからずんばこれを得ても處らざる也」

(3) 自分を客観的にみる

「徳の修まらざる、学の講ぜざる、義を聞きて徒能わざる、不善の改む

る能わざる、是吾が憂い也」
「仁者は必ず勇有り、勇者は必ずしも仁有らず」

　　　　― 第8章に関連する他の「論語」 ―
「君子は貞にして諒せず」
「君子は其の言に於いて苟しくするところ無し」
「工其の事を善くせんと欲すれば、必ず先ず其の器を利とす」

第9章　天は万物の根源

(1) 私たちはいつも見えないものに見られている
「罪を天に獲るときは、祈るところ無し也」
「鬼神を敬い、之を遠くにするは、知と謂うべし」

(2) ひらめきは突然天からやってくる
「学びて時に之を習う、また説ばしからずや」
「憤せずんば啓せず。悱せずんば発せず」

(3) 天の恵み
「詩によって興る。礼によって立つ。楽によって成る」
「徳は孤ならず、必ず隣有り」

　　　　― 第9章に関連する他の「論語」 ―
「神を祭るは、神在すが如くす」
「末だ人を事うこと能わず、いずくんぞ能く鬼に事えん」
「天を怨まず、人を咎めず、我を知る者は、それ天か」

あとがき

「吾、十有五にして学に志し、三十にして立つ。四十にして惑わず。
五十にして天命を知る。六十にして耳従う」

【参考文献】

『君たちはどう生きるか』吉野源三郎・原作　羽賀翔一・漫画　マガジンハウス

『世界の名著「論語」』貝塚茂樹・著　中央公論社

『論語徴』荻生徂徠・著　小川環樹・訳注　平凡社

『孔子の一生と論語』緑川佑介・著　明治書院

『「論語」百章』岩越豊雄・著　致知出版社

『論語コンプリート』野中根太郎・著　誠文堂新光社

『ホーキング宇宙と人間を語る』スティーブン・ホーキング、
　　　　　　　　レナード・ムロディナウ・著　佐藤勝彦・訳　エクスナレッジ社

『宇宙は何でできているのか』村上斉・著　幻冬舎新書

『思考のパワー、意識の力が細胞を変え宇宙を変える』ブルース・リプトン、
　　　　スティーブ・ベヘアーマン、千葉雅、島津公美・著　ダイヤモンド社

『ペンロースの量子脳理論 ─ 心と意識の科学的基礎をもとめて』
　　　　　ロジャー・ペンロース・著　竹内薫、茂木健一郎・訳　ちくま学芸文庫

『易経一日一言』竹村亜希子・著　致知出版社

『脳は論語が好きだった』篠浦伸禎・著　致知出版社

『学校では習わない江戸時代』山本博文・著　新潮文庫

『逝きし世の面影』渡辺京二・著　平凡社ライブラリー

『ハーバードの人生が変わる東洋哲学 (The Path)』マイケル・ピュエット、
　　　　　　クリスティーン・グロス・ロー・著　熊谷淳子・訳　早川書房
　　　　　　　　　　　　　　　　　　　　　　　　　　　　　　　　他

【著者】

樫野 紀元（かしの のりもと）

1946年生れ。

人間力を上げる勉強会を主催。論語や古事記の講座を開講。工学博士。東京大学大学院を出て建設省（現国土交通省）勤務（上級職・研究職）後、公立前橋工科大学大学院教授、NPO理事長などを歴任。建設省在勤中ノルウェーに長期赴任。日本・アセアン科学技術協力プロジェクト責任者。RILEM（本部パリ）技術委員会（ECM）委員長。

「日本建築学会賞（論文部門）」（1994年）、「建設大臣賞（業績功労）」（1995年）、「科学技術庁長官賞（研究功績者表彰）」（1999年）、「スガウエザリング財団科学技術賞」（2001年）、「瑞宝小綬章」（2016年－春の叙勲）などを受賞。

『建築家になろう』、『ピーワンちゃんの寺子屋（こども論語教室）』、『面白いほどよくわかる建築』、『日本の技術と心（共著）』、『心を元気にする論語』など著書多数。

論語 君はどう生きるか？
だから私はこう生きる！

2020年 9月 26日　第1版第1刷発行

著 者	樫 野 紀 元
	©2020 Norimoto Kashino
発行者	高 橋 考
発行所	三 和 書 籍

〒112-0013　東京都文京区音羽2-2-2
　　　　　TEL 03-5395-4630　FAX 03-5395-4632
　　　　　info@sanwa-co.com
　　　　　http://www.sanwa-co.com/
　　　　　印刷／製本　中央精版印刷株式会社

三和書籍の好評図書

Sanwa co.,Ltd.

日本人が気づかない心のDNA
母系的社会の道徳心

森田 勇造 著

四六版／並製／198頁　定価：本体1,600円＋税

●日本人に脈々と受け継がれてきた心の遺伝子・道徳心を再認識、再評価しつつ、明治維新後の近代化、戦後の復興そして経済成長は、どうして可能だったのかを考察する。利己的な精神が強い欧米とは違い、利他的な精神が強い日本は、この精神的な基盤があったからこそ、世界に比類ない発展と繁栄を築くことができたのだが、グローバル化の波に洗われ、心の遺伝子ともいうべき道徳心が、年々希薄になってきている。本書は、道徳心とはどのようにして形成され、社会に対してどのようにはたらくか、薄れゆく心のDNA・道徳心をいかにして伝えてゆくか等々をあつく論じている。

腸が変われば人生が変わる！
食事と薬と健康の話

小林 位郁心 著

四六版／並製／216頁　定価：本体1,400円＋税

●薬剤師、臨床検査技師のキャリアを生かし、健康講座や講演会を開催している著者が、単なる「健康本」ではなく「人生のヒントになる本」をめざしたものである。〝腸〟に関する知見を中心に、ストレスを軽減して元気になる方法を伝授している。著者の経験を中心としたさまざまなエピソードが織りまぜられていて、人生を豊かにし、生き方が楽になるヒントが満載されている。

SDGsとは何か？
持続性ある地球環境・資源、人類社会を目指す

安藤 顯 著

四六版／並製／228頁　定価：本体1,700円＋税

●21世紀に入り、世界の人口はますます増加の一途をたどりつつある。それにともなって、環境汚染、資源枯渇、貧富差の拡大などの諸問題が深刻さを増している。人類の活動が地球のキャパシティを超えたまま手をこまねいていれば、早晩、取りかえしのつかない状況に陥ってしまう。その危機から地球、そして人類を救うのがSDGs（エスディジーズ）である。その成り立ちから現状、今後の課題を解説する。